SOL Y SOMBRA

SECOND EDITION

Paul Pimsleur

Late of State University of New York, Albany

SOL Y SOMBRA

SECOND EDITION

HARCOURT BRACE JOVANOVICH, INC.
New York / Chicago / San Francisco / Atlanta

Acknowledgments

The editor wishes to thank the following for kind permission to adapt and reprint material appearing in this book:

Análisis, Buenos Aires: "Ruletas, ¿sí o no?", from *Análisis*, #476, 28 de abril de 1970.

Argentina, Buenos Aires: "El arte precolombino," from *Argentina*, #3, junio de 1969; "El Rey," from *Argentina*, #5, agosto de 1969.

Blanco y negro, Madrid: " 'Copito de Nieve,' residente del zoo de Barcelona," from *Blanco y negro*, #2691, 1 de febrero de 1969.

Clarín, Buenos Aires: "El perrito," from *Clarín*, #8662, 1 de marzo de 1970.

Ediciones Meridiano, S.A., Barcelona: "La emigración sigue," from *Meridiano*, julio de 1969; "¿Por qué huyen los adolescentes de sus casas?", from *Meridiano*, agosto de 1969.

Editorial Atlántida, Buenos Aires: "Los grandes casos del inspector Begonias," from *Gente*, #507, 10 de abril de 1975.

Editorial Momento, S.A., Caracas: "Descifre sus sueños," from *Momento*, #681, 3 de agosto de 1969 and #687, 14 de septiembre de 1969; "La otra cara del humor," from *Momento*, #702, 28 de diciembre de 1969.

Editorial Pueblo, S.A., San José, Costa Rica: "Conversación con una mujer trabajadora," from *Pueblo*, #92, 14 de septiembre de 1974.

El Diario-La Prensa, New York: "Una chicana," from *El Diario-La Prensa*, 5 de agosto de 1975.

Empresa Editorial Zig-Zag, S.A., Santiago de Chile: "Los héroes olvidados," from *Ercilla*, #1817, 15 de abril de 1970.

Honduras ilustrada, Tegucigalpa: "Copán, legendario y monumental," from *Honduras ilustrada*, año V, No. 53, diciembre de 1969, and año V, No. 54, enero de 1970.

(continued)

Picture credits and copyright acknowledgments are on page 180.

ISBN: 0-15-582411-2

Library of Congress Catalog Card Number: 76-49391

Printed in the United States of America

Preface

The purpose of this second, revised edition of *Sol y sombra* remains the same as that of the first—to enable students to read Spanish early. Not just stumble and decipher, but really *read*, for fun and information, as soon as they have learned a rudimentary vocabulary and some elementary points of grammar.

Magazine articles are ideal for this purpose because they seize and hold the reader's interest better than any other form of writing. But most magazine articles are far too difficult for a near-beginning student to read. For this reason, the selections in this book have been carefully adapted—difficult words and constructions simplified, complex passages modified or deleted—until even students with very little knowledge of Spanish can read them fairly easily. Since everything is entirely in Spanish—all articles, glosses, and exercises—students will find themselves thinking in Spanish most of the time.

I hope these graded readings will help teachers make the transition from the contrived material of textbooks to the genuine language of journalism and literature, and to introduce their students to the contrasting faces, the *sol y sombra* of Hispanic culture today.

Paul Pimsleur

Publisher's Note

Professor Pimsleur died suddenly in June, 1976, while serving as a visiting professor at the University of Paris (Sorbonne). He had completed and revised the manuscript of the Second Edition, but he did not see or correct proof or approve the final illustration program. The publisher has made every effort to carry through the final stages of the book's preparation with the care that characterized all of Professor Pimsleur's work.

The dedication of this edition remains the same as that of the First Edition:

To my wife

Contents

Introduction

Thirty varied and lively articles from the Spanish-language press have been selected for this book. Some are light and some serious, but all were written by journalists who know how to inform and entertain at the same time.

The limited reading competence of a near-beginning student, and his or her need to gain reading fluency gradually, have been kept in mind throughout. To facilitate progress, the articles have been "graded" and copious exercises added. The following section explains the rationale for the gradation, and offers suggestions on how to use the readings and exercises effectively.

The Grading Process

VOCABULARY

Choice of words was an important consideration. A study of six widely used high school and college textbooks, correlated with the *Recuento de vocabulario español* (University of Puerto Rico, 1952) revealed that there are about 1,000 basic words likely to be familiar to most American students. The first 500 of these formed the basis for the *Primer nivel,* the last 500 for the *Segundo* and *Tercer nivel.*

The articles were edited as follows. Any word not found among the "basic" 500 or 1,000 words was either eliminated, replaced by an easier word, or glossed (defined) in the margin when it first appeared. These marginal glosses are as succinct as possible (many consist of a small picture), and they are spaced out, with an average of not more than one new word in thirty-five running words of text. The point is to allow students to pick up momentum and read line after line without breaking their train of thought to look up a word in the back of the book.

However, 500 words, or even 1,000, are not enough to express all the varied ideas these articles contain. We have relied on cognates to supply the extra vocabulary required. But cognates must be treated carefully, for while some are perfectly clear, others may be misleading. Our policy has been to treat as familiar words any cognates that are unmistakable (*animales, plantas*) or that can be made so by a brief explanation from the instructor (*triunfo, tentación, físico*). Other, less recognizable cognates have been treated as unfamiliar words, that is, glossed when they first appear.

The instructor is urged to help the students before they begin reading by explaining some of the common spelling differences between English and Spanish—*n* for *m*, *f* for *ph*, etc.—and by familiarizing them with the commonest word endings, such as *-oso, -mente, -dad*, and *-ción*. They will then be able to recognize a host of cognates like *completamente, universidad*, and *acción*.

A tip for students: when you meet an unfamiliar word, it sometimes helps to pronounce it aloud. For example, *móvil* and *nocaut* are probably more recognizable by sound than by sight.

GRAMMAR

The readings are graded to conform approximately to the order in which grammar appears in widely used textbooks. The chief obstacles to ready comprehension—the various inversions, compressions, and embeddings, which are the professional writer's stock in trade—have been expanded and simplified. We have tried to maintain a delicate balance between style and simplicity.

The most complex single feature of grammar is the verb system. We have controlled the order of introduction of verb tenses in these readings, and present the following table for the use of instructors who may wish to select readings in terms of the verb tenses they contain:

PRIMER NIVEL:

1 to 6 contain the present, progressive, preterit and imperfect.
7 to 11 add the present perfect, future, and conditional.

SEGUNDO NIVEL:

12 and 13 contain the present, progressive, preterit, imperfect, present perfect, and future.
14 to 20 add the conditional and pluperfect.

TERCER NIVEL:

21 and 22 contain the present, progressive, preterit, imperfect, present perfect, future, and conditional.
23 to 30 add the pluperfect, present subjunctive, and imperfect subjunctive.

LENGTH

Most of the articles are short, in keeping with the limited attention span of students just learning to read Spanish. For the convenience of instructors who may wish to fit assignments to the time available, the length of each selection is shown in the following list:

Exercises

The exercises in *Sol y sombra* aim to reinforce the students' growing reading ability while maintaining their skills in speaking and listening. More than twenty kinds of exercises are provided, most of them brief, yet varied enough to fill the class hour with purposeful activity. They fulfill four basic functions: 1. to increase active vocabulary; 2. to drill particular structures; 3. to exercise reading and listening comprehension; 4. to stimulate oral and written expression.

VOCABULARY EXERCISES

Under a variety of formats—*Sinónimos, Antónimos, Definiciones, Familia de Palabras*—these exercises help the students to recall important new vocabulary contained in the reading selection. In selection 1, for example, the students are given the stimulus

El *profesor* vive en el pueblecito también. →

They are to supply the synonym *maestro,* which appeared in the text. Best results will be achieved if the students are asked to say the entire response sentence, rather than merely supplying the single word synonym, and to do so in a normal conversational tone, with normal intonation and without stressing the synonym unduly. They may have difficulty at first in pronouncing a sentence as long as

El *maestro* vive en el pueblecito también.

from memory, but with perseverance on the teacher's part, the class will soon accept this expectation as normal.

Excessive page shuffling should be avoided. A student who does not recall the required word may refer back to the text, but if he or she does not find it quickly, the teacher should supply the answer and proceed to the next item. Too much searching can destroy the brisk classroom tempo that this book aims to help teachers maintain.

A tip for teachers: there is no harm in repeating previous items, in random order, when additional practice is required. This holds true for all of our exercises.

STRUCTURE EXERCISES

Under the general title *Estructuras,* several drills appear after each selection; these single out for practice certain important structures that occurred in the selection. Following an article on the painter Dalí, for example, three structural points are drilled:

   1.   indirect object pronouns
        Todo interesa *a Dalí.*→ **Todo** *le* **interesa.**

   2.   present participles
        Él *llega* **a Port Lligat.** → **Él** *está llegando* **a Port Lligat.**

   3.   the preterit tense
        Lleva **un largo mostacho falso.** → *Llevó* **un largo mostacho falso.**

The *Estructuras* are pattern drills. In response to the instructor's oral stimulus, the entire class, or a designated student, should answer in a complete utterance according to the model. Natural accent and intonation are as important as correct construction. Later, these same drills can serve as oral or written quizzes.

In keeping with current efforts to teach students to communicate in the foreign language by simulating natural conversational exchanges in the classroom, a number of exercises are now couched as "mini-conversations" rather than as pattern drills. For instance, the following exercise appears after an article on the signs of the Zodiac:

CUE: **(los Acuarios; la sensación)**

ESTUDIANTE A: **A los Acuarios, ¿qué les gusta?**
ESTUDIANTE B: **Les gusta la sensación.**

1. (los Piscis; bailar y beber vino)
2. (los Tauros; los baños de burbuja)
3. (los Géminis; el arte de las comunicaciones)
4. (los Leos; las flores)
5. (los Virgos; servir a otras personas)
6. (los Capricornios; creer que son pícaros)

These exercises are to be done by pairs of students who, after looking at the cue, turn away from the book and hold their "mini-conversation."

COMPREHENSION EXERCISES

Reading comprehension is checked in two types of exercises, one more difficult than the other: ¿Verdadero o falso?, and Preguntas. The former require less recall and simpler responses than the latter. Instructors may wish to do one exercise or the other, depending on the level of ability of their students. If a statement in a ¿Verdadero o falso? exercise is true, the student responds by saying Sí, es verdad, or Es verdad, and then repeating the statement. If the statement is false, he or she says No es verdad, or Es mentira, and then corrects the mistake. ¿Verdadero o falso? appear only in the first half of the book, while Preguntas appear throughout.

A new feature of the second edition is the addition of exercises for listening comprehension. One of these, called Dibujo, occurs in selection 4, where the students are to close their books and reproduce the cartoon that appears there, under step-by-step instructions from their teacher. Another occurs in selection 16, where the teacher is to give step-by-step instructions for preparing bananas con jamón, and the students are to respond to each instruction by making the appropriate gesture ("peeling bananas," "beating eggs," etc.), to show they have understood.

FREE EXPRESSION EXERCISES

The main vehicles for self-expression are the Puntos de vista and Debate exercises, which begin with selection 8. (To invite free expression earlier would be premature.) These consist of provocative statements or questions, phrased so as to elicit student reaction and foster classroom discussion. After selection 27, for example, which deals with the sport of cock-fighting, the Debate exercise is the following:

> La clase se divide en dos partes (pro y contra) para discutir la pregunta: ¿Debe prohibirse o permitirse la lucha de gallos?

A lively discussion can be an exciting class activity, but it must be guided judiciously by the instructor, as students' ideas tend to run far ahead of their Spanish.

Our Puntos de vista can be done orally or in writing. We recommend that teachers allow ample time for oral discussion, so that students can develop their ideas, before they assign written compositions, letters, or dialogues on the same topic.

Teaching Suggestions

Experienced teachers have many techniques for teaching reading in an atmosphere of oral give-and-take. For the younger instructor who may want a bit of guidance, we offer these suggestions.

PREREADING

It is often useful to prepare students in advance for the selection they are going to read. One can say a few words about the content or the point of view, to set the stage and improve comprehension. More important perhaps, one can prepare students for difficult words and constructions they will encounter by composing original sentences that contain these and by practicing them in advance.

MECHANICS OF READING

It is well to remind students from the beginning *how* to read. Two chief principles to keep in mind are *inferring* and *grouping*. By the first it is meant that students should attempt to infer the meaning of unfamiliar words from the context, rather than looking them up automatically.

Grouping involves reading in thought groups rather than one word at a time. Students should consciously strive to do this and to gradually increase the size of the "chunk" of words they can handle at a single glance.

A novel technique instructors may wish to try is the following: Record a selected reading passage on tape, leaving pauses at appropriate points between thought groups. Students then use the tape to pace their own reading. On the first pass, they repeat each phrase in the pause that follows it. But on the second and subsequent passes, they must *anticipate* the pause, that is, they must read each phrase *before* the tape does so.

LISTENING COMPREHENSION

Instructors should not neglect the potential that interesting reading material offers for improving their students' comprehension of the spoken language. In addition to doing the listening exercises provided with some selections, they may wish to: 1. read aloud regularly to the class while the students listen with books closed; 2. retell in their own words a story the students have recently read; 3. perform the exercises by reading the items aloud to the students, who listen with books closed and then give the required responses.

READING ALOUD

This familiar classroom technique causes much confusion. The common—but incorrect—procedure is to have one student read aloud while the others follow along in their books. Often, boredom and restlessness result, since in effect one student is occupied and the others are not. Instructors who wish to have individual students read aloud should try the following technique instead: Have the class close their books (keeping a finger in place), while one student reads aloud to them. The reader is instructed that he or she is to absorb one phrase at a time and then say it aloud, with sufficiently clear pronunciation that the others can grasp the meaning solely from what he or she says. They, at the same time, must concentrate fully, knowing the instructor will question them after a few sentences have been "read" in this manner. This technique diminishes dependence on the printed text and enables the instructor to maintain eye contact, so necessary for brisk oral communication. Students may resist at first but will soon accustom themselves to this procedure if the instructor perseveres.

To conclude this opening note, we sincerely hope that this reader will enable teachers to add reading to the list of their students' accomplishments while furthering their listening and speaking skills at the same time.

SOL Y SOMBRA

SECOND EDITION

PRIMER
NIVEL

1
La escuela móvil° que va de un lugar a otro

Ya hace muchos años que México trata de eliminar el analfabetismo°. Según información oficial, todavía existe el analfabetismo en México, pero mucho menos que antes. El problema principal es ¿cómo llevar la educa- no saber leer ni escribir

ción a las regiones rurales en que no se pueden construir° escuelas? Para este problema hay ahora una solución ingeniosa: una "flota°" de escuelas móviles que llevan la instrucción primaria a un gran número de pueblecitos con menos de cien habitantes. Estas escuelas se quedan en un mismo lugar durante el año escolar. Se calcula que 10.000 niños y adultos reciben así su primera instrucción.

hacer

grupo

Cada escuela móvil consiste en un camión y remolque° (este último sirve de habitación para el maestro). Del remolque se levanta una lona° que sirve de sala de clase.

camión y remolque

lona

Los habitantes de los pueblecitos esperan con entusiasmo la llegada de la escuela móvil. Estas escuelas improvisadas, de un alegre color naranja, se convierten muchas veces en animados centros sociales.

Adaptación de un artículo de *Life en Español*

[156 palabras]

Ejercicios

SINÓNIMOS

Dé otra palabra con el mismo significado.

El *profesor* vive en el pueblecito también. → El *maestro* vive en el pueblecito también.

1. En muchas regiones rurales, no se pueden *fabricar* escuelas.
2. La escuela móvil lleva *la educación* allí.
3. Estas escuelas se quedan en un mismo *sitio* durante un año escolar.
4. Muchos *muchachos* reciben así su primera instrucción.
5. Un remolque sirve de *casa* para el maestro.

ESTRUCTURAS

A

¿Cuántos habitantes tiene el pueblecito?   (100) → Tiene cien habitantes.

1. ¿Cuántas escuelas móviles tiene México?   (200)
2. ¿Cuántos estudiantes tiene la escuela?   (400)
3. ¿Cuántos habitantes tiene el pueblo?   (700)
4. ¿Cuántas ciudades tiene el país?   (600)
5. ¿Cuántos maestros tiene el país?   (500)
6. ¿Cuántos adultos tiene la ciudad?   (800)
7. ¿Cuántos pueblecitos tiene la región?   (300)

B

(remolque; habitación)

ESTUDIANTE A: **Este remolque, ¿para qué sirve?**
ESTUDIANTE B: **Sirve de habitación.**

1. (camión; escuela móvil)
2. (lona; sala de clase)
3. (señor; maestro)
4. (escuela; centro social)
5. (clase; primera instrucción)

¿VERDADERO O FALSO?

Corrija la oración si es falsa.

1. Ya no existe el analfabetismo en México.
2. En muchas regiones rurales no es posible construir escuelas.
3. No hay solución para este problema.
4. La escuela móvil lleva la educación a las ciudades grandes.
5. Una lona sirve de habitación para el maestro.
6. A la gente de los pueblos le gustan mucho las escuelas móviles.

PREGUNTAS

1. ¿Qué llevan las escuelas móviles?
2. ¿Se usan estas escuelas móviles en pueblecitos con más o menos de cien habitantes?
3. ¿Por cuánto tiempo se quedan en un lugar estas escuelas improvisadas?
4. ¿Quiénes reciben así su primera instrucción?
5. ¿En qué consiste cada escuela móvil?
6. ¿Qué es lo que sirve de habitación para el maestro?
7. ¿Qué es lo que sirve de sala de clase?
8. ¿Cómo sabe usted que a los habitantes de los pueblecitos les gusta la idea de la escuela móvil?
9. ¿En qué se convierte muchas veces la escuela móvil?

2

"Copito de Nieve",°  copito de nieve

residente del zoo de Barcelona

El conocido "Copito de Nieve", único° gorila blanco, de   solo
ojos azules, de que la historia natural tiene noticia hasta
hoy, sigue contento y creciendo° en el *zoo* de Barcelona.   haciéndose más y más grande

El animal tiene una historia interesante. Viene de
Río Muni, una región del África ecuatorial que fue una
colonia española. Un campesino lo halló al lado del
cadáver de su madre —una gorila negra. Lo vendió a un
naturalista español, quien llevó al bebé a su casa.

Era un "niño" exquisito. Aprendió a andar mano a
mano con las personas que conocía bien y seguía a su
"padre" y a su "madre" por todas partes. Le gustaba
jugar con los humanos y comer bananas y caña de
azúcar que ellos le daban. Ahora está más civilizado y
come dulces y refrescos.

Tiene ahora más de diez años y es bastante grande.
Copito de Nieve está bien educado y le gusta la compañía humana. Igual que un niño, da abrazos° a sus   **da abrazos**
amigos y los recibe con mucho entusiasmo.

"Copito de Nieve", cuando vivía en casa del naturalista español

Cuando empezó a vivir en el *zoo*, le pusieron en
compañía de un gorila negro llamado Muni, joven como
él y de su mismo tamaño°. Jugaban juntos. Muni era   **de...** tan grande como él
siempre más activo y más valiente que Copito de Nieve.
Pero el día que les llevaron una compañera, una her-

mosa gorila negra, las cosas cambiaron. Copito de Nieve dejó de depender de Muni y empezó a mandar sobre él.

Los expertos del *zoo* pensaron que el gorila blanco podía tener hijos y tuvieron razón. Hace algunos años, Copito de Nieve tuvo con una gorila negra un hermoso hijo —también negro, como su madre.

Copito de Nieve vive feliz° en Barcelona. Es todavía el único gorila blanco del mundo.

alegre

Adaptación de un artículo de *Blanco y Negro* (Madrid)

[290 palabras]

Copito de Nieve, como es ahora, en el zoo de Barcelona

Ejercicios

Halle la expresión apropiada en el texto.

Este gorila es blanco como un _____. → **Este gorila es blanco como un** *copito de nieve.*

1. Tiene los _____ azules.
2. Viene de una región del continente de _____.
3. _____ lo halló.
4. El bebé estaba _____ del cadáver de su madre.
5. El campesino lo vendió a un _____ español.
6. El gorila aprendió a andar _____ con las personas que conocía bien.
7. Seguía a su "padre" y a su "madre" _____.
8. Le gusta dar y recibir _____.

ESTRUCTURAS

A

En el *zoo* **vive el gorila. Sigue creciendo.** → **En el** *zoo* **vive el gorila que sigue creciendo.**

1. Un día vino un campesino. Halló al gorila.
2. Estaba al lado de su madre. Era una gorila negra.
3. El campesino lo vendió a un español. Lo llevó a casa.
4. Aprendió a jugar con las personas. Eran sus amigos.
5. Copito de Nieve es un gorila. Está bien educado.
6. En el *zoo* vive con otro gorila. Es negro.

B

Tiene diez años y es grande. → **Tiene** *más de* **diez años y es** *bastante* **grande.**

1. Tiene siete años y es pequeño.
2. Tiene veinte años y es inteligente.
3. Tiene dos años y es civilizado.
4. Tiene cincuenta años y es estúpido.
5. Tiene veintidós años y es bien educado.

C

Como un niño, les da abrazos. → **Igual que un niño, les da abrazos.**

1. Como un copito de nieve, es muy blanco.
2. Como un humano, juega con sus amigos.
3. Como un bebé, anda mano a mano con sus "padres".
4. Como una persona, come bananas y caña de azúcar.
5. Como un amigo, les da abrazos.

¿VERDADERO O FALSO?

Corrija la oración si es falsa.

1. Hay varios gorilas blancos por el mundo.
2. Este gorila se llama Copito de Nieve porque es azul.
3. Viene de una región de África.
4. Un campesino lo halló debajo del cadáver de su madre.
5. Un naturalista llevó al gorila a su oficina.
6. Ahora tiene ocho años, pero todavía es pequeño.
7. Recibe abrazos con mucho entusiasmo.
8. Todavía vive en casa con el naturalista español.
9. Un gorila blanco no puede tener hijos.

PREGUNTAS

1. ¿Por qué es tan conocido Copito de Nieve?
2. ¿Dónde vive el gorila blanco?
3. ¿De dónde viene este animal interesante?
4. ¿Quién lo halló? ¿Dónde?
5. ¿Qué hizo el naturalista con el bebé?
6. ¿Qué aprendió el gorila en la casa del naturalista?
7. ¿Qué le gustaba comer cuando vivía en casa del naturalista? Ahora, ¿qué le gusta comer?
8. ¿Cómo es igual que un niño?
9. Cuando empezó a vivir en el *zoo*, ¿con quién le pusieron?
10. ¿Cuándo cambió la relación entre Copito y Muni? ¿Por qué?

Cerámico nazca

3
El arte precolombino

Cuando América era aún tierra desconocida, sus primitivos habitantes se expresaban artísticamente con una riqueza y una fantasía que aún hoy nos sorprende.

Las tribus° que habitaban esta tierra antes de la conquista° usaban técnicas particulares e ingeniosas para expresar su maravillosa imaginación. La tribu *nazca* usaba hasta once colores, pero lo curioso es que entre

pueblos, gente indígena

llegada de los españoles

ellos no se encuentra ni el azul ni el verde. Sus figuras
son mitológicas o bimórficas (pájaros, peces, insectos,
plantas y otras cosas, todas con forma humana). La
sensibilidad y la imaginación de esta tribu, la que
existió en épocas remotas, se ven claramente en sus
productos artísticos, pero no podemos saber cómo eran
sus costumbres, pues no aparecen° en sus obras.   se manifiestan, se ven

Por el contrario, la tribu *machica*, contemporánea de
la tribu nazca, expresó en su arte la vida de cada día con
realismo exacto. En sus vasos aparecen escenas de
trabajo, de comida y de amor. También reprodujeron
las plantas, los animales y las diferentes enfermedades
que deforman al hombre.

Cerca de Lima (en el Perú) apareció hace tiempo un
grupo de tumbas misteriosas, de hace veinte siglos.

Cerámico machica

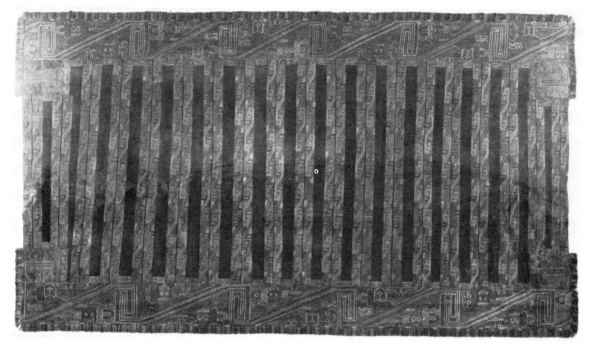

Tela peruana precolombina (Naciones Unidas)

Encerraban° a hombres muy altos, cubiertos de joyas°, vestidos lujosos° y armas. Se cree que eran jefes°, pero nadie sabe qué pueblo dirigieron. La región donde se hallaron da muy pocos testimonios de vida humana, exceptuando algunas telas°. Una de estas telas ornamenta hoy el edificio de las Naciones Unidas.

contenían / **joyas**
ricos / dirigentes; reyes

tela

En las provincias argentinas de Catamarca y La Rioja se encontraron curiosas esculturas anteriores al siglo VII d. de J. c. Extraños tótems de madera°, vasos de cerámica y objetos de bronce con diseños misteriosos son como una pregunta y una respuesta sobre la vida del hombre en América antes de la llegada de Cristóbal Colón.

tronco de árbol

Adaptación de un artículo de *Argentina* (Buenos Aires)

[291 palabras]

Cerámico nazca

Ejercicios

NOTA: Las palabras **nazca** y **machica** son nombres de forma invariable. Se dice **el arte nazca, los objetos nazca,** etc.

VOCABULARIO

Halle la expresión apropiada en el texto.

Un país que no ha sido descubierto es tierra _____. → **Un país que no ha sido descubierto es tierra** *desconocida.*

1. La gente que vive en un país ahora son sus habitantes actuales; la que vivía allí antes fueron sus habitantes _____.
2. Las técnicas que sólo una tribu conoce y que las otras no conocen son técnicas _____.
3. Un grupo que existió en tiempos antiguos existió en épocas _____.
4. Las escenas de trabajo, de comida y de amor representan la vida de _____.
5. Los vestidos que cuestan mucho son vestidos _____.
6. El arte precolombino nos informa sobre la vida del hombre en América antes de la _____ de Cristóbal Colón.

ESTRUCTURAS

A

Empiece cada frase con una de las expresiones siguientes.

Lo curioso es que
Lo importante es que
Lo interesante es que
Lo misterioso es que

Sus primitivos habitantes se expresaban artísticamente. → Lo curioso es que sus primitivos habitantes se expresaban artísticamente.

1. No hay pueblo en la región de las tumbas.
2. Los jefes encerrados en las tumbas son más altos que los hombres contemporáneos.
3. Las esculturas argentinas tienen más de 1.200 años.
4. No se encuentra ni el azul ni el verde en el arte nazca.
5. Se ven muchas figuras mitológicas.
6. Estas tribus habitaban esta tierra en épocas remotas.
7. Este arte nos da una idea de la vida precolombina.

B

Combine con cada una de las oraciones la expresión de tiempo apropiada. No use la misma expresión más de una vez. Se puede consultar el texto.

7 anteriores al siglo VII d. de J. c.
9 antes de la llegada de Cristóbal Colón
4 hace un tiempo
5 **8** de hace veinte siglos
1 cuando era una tierra desconocida
2 antes de la conquista
en épocas remotas
3 contemporánea a la tribu nazca
6 hoy

Había artistas en América. → Había artistas en América cuando era una tierra desconocida.

1. Las tribus precolombinas habitaban esta tierra _____.
2. La tribu nazca existió _____.
3. La tribu machica era _____.
4. Apareció un grupo de tumbas misteriosas _____.
5. Las tumbas son _____.
6. Una tela peruana ornamenta el edificio de las Naciones Unidas _____.
7. En Argentina se ven esculturas misteriosas _____.
8. El arte precolombino se produjo _____.

C

Forme oraciones correctas, utilizando una expresión de cada grupo. Se puede consultar el texto.

En el arte nazca se manifiestan sensibilidad e imaginación.

(a)
En el arte nazca
En el arte machica
En las tumbas peruanas
En las esculturas argentinas

(b)
se ve(n)
se halla(n)
se manifiesta(n)
se encuentra(n)
se expresa(n)

(c)
sensibilidad e imaginación
las costumbres de cada día
figuras bimórficas
diseños misteriosos
jefes muy altos
un realismo exacto
técnicas ingeniosas
una maravillosa imaginación
una pregunta sobre la vida en la América
antigua
escenas mitológicas
objetos de madera y de bronce
vestidos lujosos
once colores
artículos fabulosos

PREGUNTAS

1. ¿Cuándo se producía el arte precolombino?
2. ¿Cómo se llamaban las dos tribus en el artículo?
3. ¿Cuál tribu usaba más colores? ¿Cuántos usaba? ¿Cuáles colores les faltaban?
4. ¿Cuáles son unas cualidades del arte nazca?
5. ¿Por qué no podemos saber cómo fue la vida diaria de los nazca?
6. ¿Es más reciente el arte machica o el arte nazca?
7. ¿Cómo sabemos las costumbres machica?
8. ¿Cuál es la mayor diferencia entre el arte nazca y el arte machica?
9. ¿Por qué son curiosas las tumbas peruanas?
10. ¿Por qué se cree que los hombres encerrados son jefes?
11. ¿Dónde se encuentra un ejemplo del arte peruano en los Estados Unidos?
12. ¿Cuántos años tienen los tótems argentinos?
13. ¿Cuáles materias usaban los artistas argentinos?
14. ¿Qué hay de misterioso en el arte precolombino de Catamarca y La Rioja?
15. ¿Por qué es el arte precolombino "como una pregunta y una respuesta" sobre la vida en América antes de la llegada de Cristóbal Colón?

4

El perrito

CUENTO

Cuente usted mismo la historia de este perrito. Empiece así:

"Andando un día por la calle, el perro vio un hueso en el suelo..." Y luego, ¿qué pasó?

DIBUJO

Su profesor le dará oralmente las instrucciones para reconstruir este dibujo —con fantasía. Los estudiantes cierran los libros, toman un papel, y el profesor empieza así:

"Primer dibujo: a la derecha, un perro andando... (pausa) a la izquierda, en el suelo, un hueso... etcétera."

Caricatura de *Clarín*
(Buenos Aires)

[74 palabras]

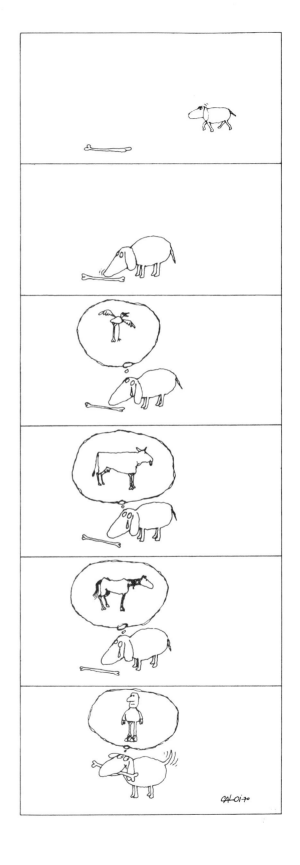

5 Dalí

Nuestro vecino más famoso llegó hoy a Port Lligat. Vamos a su casa en la playa para hablar con el pintor° Salvador Dalí.

pintor

Al llegar a su casa, vemos a los amigos y a las muchachas hermosas que siempre están alrededor de él. (Los primeros van a las tertulias° de Dalí; las segundas probablemente sirven de inspiración para sus obras°.)

grupos que se reúnen para conversar

producciones artísticas

Cada vez que visitamos a Dalí, tiene una nueva excentricidad. Este año él no permite las fotografías, o las permite sólo si le pagamos. Dice que una importante agencia francesa tiene una exclusiva para sus fotos. Esta agencia le paga muy bien, y por eso él no permite las fotos por menos de $10.000 al día.

Dalí es un artista importante. En su juventud estuvo influenciado por las tendencias de la época: impresionismo, cubismo. Muy pronto tomó contacto en París con el movimiento surrealista, lo que determinó su estilo para siempre.

Salvador Dalí: "Departure of the Fishermen" (1965). Lithograph, 25¼" × 37⅞".
Courtesy Phyllis Lucas Gallery, New York.

A Dalí, todo le interesa, pero el sujeto que le preocupa más es éste: Dalí. Para él, la vida es un juego.
Lleva la ropa extravagante y un largo mostacho falso. El
célebre, extraordinario Dalí tiene todo el entusiasmo de
un niño —a los setenta y cinco años.

Salvador Dalí: "Studio of Dalí" (1965). Lithograph, 22" × 30".
Courtesy Phyllis Lucas Gallery, New York.

Siempre busca la publicidad, y está preparando una película que se llama "El Divino". ¿Quién es el personaje central? El Divino en persona —Dalí. Es la historia de un gran pintor que pierde a su esposa y nunca más está contento. Viaja a Roma, París, Nueva York y Port Lligat y en cada lugar tiene otra compañera hermosa. Parece que esta película costará más que "Cleopatra", pero Dalí no estará contento sin un espectáculo colosal, como mínimo.

Adaptación de un artículo de *Mundo Hispánico* (Madrid)

[279 palabras]

Ejercicios

ANTÓNIMOS

Dé la palabra con el significado contrario.

Nuestro vecino *salió de* **Port Lligat.** → **Nuestro vecino** *llegó a* **Port Lligat.**

1. Vemos a sus *enemigos.*
2. Las muchachas *feas* siempre están alrededor de él.
3. Siempre tiene una *vieja* excentricidad.
4. Esta agencia le paga muy *mal.*
5. *Nada* le interesa.
6. Lleva un *corto* mostacho falso.
7. Dalí no estará contento *con* un espectáculo.

DESCRIPCIÓN

Escoja las palabras que describen mejor a Dalí.

humilde	animado	tímido	célebre
pobre	silencioso	artístico	extraordinario
excéntrico	extravagante	tradicional	escritor
creador	modesto		

ESTRUCTURAS

A

Todo interesa *a Dalí.* → **Todo** *le* **interesa.**

1. Todo interesa a su compañera.
2. Nada interesa a mi hermana.
3. Algunas cosas interesan a nuestros vecinos.
4. Muchas cosas interesan a los cubistas.
5. ¿Qué interesa a ese pintor?
6. Esto interesa a mis amigos.
7. Aquello interesa a todos.

B

Él *llega* **a Port Lligat.** → **Él** *está llegando* **a Port Lligat.**

1. Hablamos con el pintor.
2. Visitamos a Dalí.

3. La agencia francesa le paga bien.
4. Se preocupa mucho.
5. Lleva la ropa extravagante.
6. Siempre busca la publicidad.

C

Cambie las oraciones al pretérito.

Lleva un largo mostacho falso. → *Llevó* un largo mostacho falso.

1. Nuestro vecino más famoso llega a Port Lligat.
2. Tiene una nueva excentricidad.
3. Vamos a su casa en la playa.
4. La agencia francesa le paga muy bien.
5. Él no permite las fotos por menos de $10.000.
6. Esta película cuesta más que "Cleopatra".
7. Los amigos van a las tertulias de Dalí.

¿VERDADERO O FALSO?

Corrija la oración si es falsa.

1. Salvador Dalí es un autor famoso.
2. A Dalí le gustan las muchachas feas.
3. Dalí siempre tiene una nueva excentricidad.
4. El arte de Dalí es del estilo clásico.
5. Para Dalí, la vida es un juego.
6. A él no le interesa el dinero.

PREGUNTAS

1. Al llegar a la casa de Dalí, ¿qué ve el autor?
2. Según Dalí, ¿quién tiene una exclusiva para sus fotos?
3. ¿Quién es Dalí?
4. ¿Qué cosa le preocupa más a él?
5. ¿Qué tipos de arte ha creado Dalí?
6. ¿Cuántos años tenía Dalí cuando se escribió este artículo?
7. Para Dalí, ¿cómo es la vida?
8. ¿Cómo se llama la película que está preparando Dalí?
9. ¿Quién es el personaje central de esta película?
10. ¿Quisiera usted conocer a Dalí? ¿Por qué?

La duquesa de Medina Sidonia en su palacio
antes de su salida de España

6

La duquesa de los trabajadores título de nobleza

La duquesa de Medina Sidonia no parece ser aristócrata cuando anda por los campos, vestida de pantalones y botas. Está allí para ayudar a los pobres, trabajar con los campesinos o hablar con los pescadores.

Descendiente de una familia aristocrática muy famosa y respetable, "la duquesa de los trabajadores" lucha° contra la injusticia social en su provincia de Andalucía. En lugar de pasar la vida como aristócrata tradicional, ella prefiere combatir para mejorar las condiciones de vida en aquella parte de España. Como sus antepasados°, la duquesa es rebelde°. "Mi familia tiene una larga tradición de rebeldía", dice ella.

combate

ascendientes, personas de su familia que vivieron antes
persona que se resiste a la autoridad establecida

La duquesa recibió fama internacional cuando luchó por la protección de los habitantes de Palomares, después de un accidente en que unas bombas nucleares cayeron de un avión norteamericano en aquel pueblecito. Además, organizó varios proyectos, como una cooperativa para los pescadores y una fábrica de conchas° para producir fertilizantes. Para los hombres que quieren ser agricultores, la duquesa dio gratis una parte de su tierra en Lérida.

conchas

La duquesa es una mujer de acción, no de palabras. Mirando hacia el futuro, ella insiste en que "algún día... en el palacio habrá escuelas y biblioteca pública".

Adaptación de un artículo de _Life en Español_

[200 palabras]

NOTA: A causa de sus actividades en contra de la injusticia social en España, la duquesa de Medina Sidonia fue condenada y pasó algún tiempo en la cárcel°. Una vez liberada, salió de España y se instaló en el sur de Francia.

prisión

Ejercicios

DEFINICIONES

Una mujer que está casada con un duque es una *duquesa*.

1. Una persona que vive en el campo es un _____.
2. Un hombre que gana la vida pescando es un _____.
3. Uno que trabaja es un _____.
4. Andalucía es una _____ de España.
5. Las personas de la familia que vivían antes de uno son sus _____.
6. Una persona que combate contra la sociedad es un _____.
7. Algo que pasa sin intención es un _____.
8. Un pueblo pequeño es un _____.
9. Un edificio donde se fabrican cosas es una _____.

ESTRUCTURAS

A

(en el campo; trabajar con los campesinos)

ESTUDIANTE A: **¿Para qué está en el campo?**
ESTUDIANTE B: **Está allí para trabajar con los campesinos.**

1. (en el campo; hablar con los agricultores)
2. (en la ciudad; estudiar las condiciones de vida de los pobres)
3. (en la capital; organizar varios proyectos sociales)
4. (en Palomares; luchar por la protección de sus habitantes)
5. (en este pueblo; hablar contra la injusticia social)

B

Ella dice, "Estoy allí para ayudar a los pobres". → Ella insiste en que está allí para ayudar a los pobres.

1. Ella dice, "Algún día en el palacio habrá escuelas".
2. Ella dice, "Mi familia tiene una larga tradición de rebeldía".
3. Ella dice, "No quiero pasar la vida como aristócrata tradicional".
4. Ella dice, "Prefiero luchar contra la injusticia social".
5. Ella dice, "Algún día habrá una cooperativa para los pescadores".
6. Ella dice, "Voy a dar gratis una parte de mi tierra a los agricultores".

C

Complete el resumen siguiente.

La duquesa no parece ser _____ cuando anda por los campos ayudando a los pobres. Ella lucha contra la _____ en Andalucía. Como una mujer de acción, organizó varios _____, por ejemplo, una _____ para los pescadores. También ayudó en la formación de una fábrica de _____ para producir _____. Ella dio _____ una parte de su tierra en Lérida a los hombres que quieren ser _____. La duquesa es una mujer de acción, no de _____.

¿VERDADERO O FALSO?

Corrija la oración si es falsa.

1. Como aristócrata, la duquesa se queda en el palacio.
2. Ya hay escuelas y biblioteca pública en su casa.
3. Ella es diferente de sus antepasados porque es rebelde.
4. No había injusticia social en su provincia de Andalucía.
5. Lucha para mejorar las condiciones de vida en aquella parte de España.
6. Es conocida solamente en su pueblo.

PREGUNTAS

1. ¿Adónde va la duquesa muchas veces vestida de pantalones y botas?
2. ¿Por qué está allí?
3. ¿Cómo es la familia de la duquesa?
4. ¿Qué prefiere ella en lugar de pasar la vida como aristócrata tradicional?
5. ¿Qué cayeron de un avión norteamericano en el pueblecito de Palomares?
6. ¿Qué proyectos organizó la duquesa para ayudar a los pobres?
7. ¿Cómo describiría usted a la duquesa?
8. ¿En qué insiste ella sobre el futuro?
9. ¿Está usted de acuerdo con las acciones de la duquesa, o piensa usted que ella debe mantener de otra manera las tradiciones de la aristocracia y de su familia?

Lago de Atitlán

7
El país de la "Eterna Primavera"

country

Por todo el territorio guatemalteco hay una gran actividad. Constantemente llegan al aeropuerto de la ciudad, *to reach* el mejor de toda Centroamérica, aviones de diferentes partes —Estados Unidos, México, y demás *other* países de Centroamérica. Transportan a muchas personas que vienen para negocios, y se quedan *to stay* para conocer las atracciones turísticas que abundan en ese país.

Todo el año es bueno para los visitantes. A Guatemala se le ha dado el nombre de la "Eterna Primavera". En el día tiene un clima caliente que invita a asistir° a *ir* sus playas y a sus lagos. Uno de los lagos más hermosos *beautiful* *beach* *lakes* de Centroamérica es el lago de Atitlán —que se ha convertido actualmente° en el centro de atracción de los *hoy día; ahora* "jipis".

Ruinas de la Antigua

Iglesia de Santo Tomás
y mercado en
Chichicastenango

Otra atracción de Guatemala es la ciudad de la
Antigua, que hace algunos años fue declarada como
monumento de América. Esta ciudad es rica por su
historia colonial —historia que se ha terminado para
siempre en 1773, año en que sufrió un gran terremoto°.

sufrió... la tierra temblaba
muy fuerte

La ciudad fue completamente abandonada por sus
habitantes. Esta catástrofe no es única en la historia de

35

Aeropuerto de la ciudad de Guatemala

Guatemala, que está situada en una zona donde los terremotos más o menos intensos se producen con cierta frecuencia.

No se deben olvidar las muchas ciudades de los mayas —Tikal, por ejemplo— situadas en una zona tropical. Los guatemaltecos se han preocupado por conservar sus ruinas y pirámides, manteniendo su forma original.

Por su triple atracción —negocios, clima, turismo— Guatemala merece° la atención de todos los viajeros. _{gana; vale}

Adaptación de un artículo de *Mañana* (México)

[231 palabras]

Ejercicios

DEFINICIONES

Personas *que visitan* → *visitantes*

1. Personas que viajan → *viajeros*
2. Personas que viven en una ciudad, un país, etc. *habitantes*
3. Gran movimiento de la tierra → *terremoto*
4. Lugar donde llegan a tierra los aviones
5. Edificios destruidos

PLURALES

Es el país *más hermoso.* → **Es uno** *de los países más hermosos.*

1. Es el aeropuerto más grande.
2. Es el lago más lindo.
3. Es el día más caliente.
4. Es la ciudad más vieja.
5. Es la atracción más conocida.
6. Es el país más rico de Centroamérica.

ESTRUCTURAS

A

Los aviones *llegan* **al aeropuerto.** → **Los aviones** *han llegado* **al aeropuerto.**

1. Transportan personas que vienen para negocios.
2. Los turistas se quedan para visitar el país.
3. Muchas personas vienen para ver el lago de Atitlán.
4. Guatemala se preocupa por conservar sus ruinas.
5. Los guatemaltecos mantienen sus pirámides en su forma original.

B

ESTUDIANTE A: **A Guatemala, ¿qué nombre se le da?**
ESTUDIANTE B: **la "Eterna Primavera"**
ESTUDIANTE C: **Se le da el nombre de la "Eterna Primavera".**

1. A los Estados Unidos, ¿qué nombre se le da? ("Tío Sam")
2. A la Antigua, ¿qué nombre se le da? ("monumento de América")
3. A esos jóvenes, ¿qué nombre se les da? ("jipis")
4. A las ruinas mayas, ¿qué nombre se les da? ("atracción nacional")
5. A los norteamericanos, ¿qué nombre se les da? ("yanquis")

PREGUNTAS

1. ¿Por qué vienen muchas personas a Guatemala?
2. ¿Por qué llaman a Guatemala el país de la "Eterna Primavera"?
3. ¿A quiénes atrae el lago de Atitlán?
4. ¿Por qué es famosa la ciudad de la Antigua?
5. ¿Qué hay de importancia histórica en la zona tropical?

PROYECTOS INDIVIDUALES

Según sus posibilidades y sus intereses, varios estudiantes presentarán tópicos relacionados con Guatemala —demostraciones concretas usando pocas palabras. Por ejemplo:

- traer discos de música indígena
- mostrar las características geográficas de Guatemala con ayuda de mapas
- presentar estadísticas sobre los productos guatemaltecos (sin olvidar el petróleo)
- buscar fotos de las ruinas históricas de Guatemala
- hallar documentos y reportajes sobre los terremotos de Guatemala
- presentar tejidos y otras formas artísticas

8
Un viaje
por el zodíaco

En estos tiempos, la astrología tiene importancia en casi todos los aspectos de la vida. Hay jóvenes que no celebran el matrimonio si el zodíaco no es bueno. Algunas sociedades comerciales tienen astrólogos que trabajan allí todo el día. Setenta por ciento de los periódicos de los Estados Unidos presentan horóscopos. Y muchas veces los escépticos° no saben si importa o no la astrología. ¿Cómo se puede saber que el jefe, el amigo íntimo o la mujer no están bajo la dirección de los astros°?

personas que no creen fácilmente

astros

Ahora los creyentes° y también los escépticos pueden leer lo que dicen los astros de ellos (¡y de sus amigos!). Y también tienen la oportunidad de decidir si la astrología es ciencia°, ficción o ciencia-ficción.

personas que creen

información exacta

CAPRICORNIO
del 22 de diciembre al 20 de enero

Su símbolo es un hombre viejo e inteligente que parece joven. Los Capricornios dan protección a instituciones como la familia, pero les gusta creer que son pícaros°. Pero cuando son malos, siempre lo sienten y vuelven a ser buenos otra vez.

personas que hacen
cosas curiosas

ACUARIO
del 21 de enero al 19 de febrero

Los Acuarios son excéntricos, y les gusta la sensación. Piensan en el amor y en sus amigos y quieren vivir y dejar vivir. Pero a veces quieren cambiar las cosas con una revolución violenta aunque no necesariamente cruel.

PISCIS
del 20 de febrero al 20 de marzo

Las personas que viven bajo este astro van en dos direcciones. Les gustan bailar, beber vino y tomar drogas, pero también les gustan la contemplación espiritual y el misticismo. Cuando hacen daño a otras personas, siempre lo sienten mucho, y bajo un exterior frío son muy agradables.

ARIES

del 21 de marzo al 19 de abril

El símbolo de los Aries es un niño que se mira los
dedos° de los pies y de las manos. Como jefes naturales,
son valientes y violentos y tienen inclinaciones a la
agresividad y al egoísmo. Son buenos generales.

dedos

TAURO

del 20 de abril al 20 de mayo

Los Tauros son sensuales hasta el extremo. Siempre
desean lujos° como los baños de burbujas°, comidas
elegantes y la vida buena. Son buenos agricultores,
vendedores y sopranos wagnerianas.

cosas elegantes /
baño de burbujas

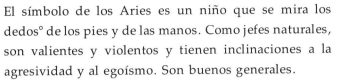

GÉMINIS

del 21 de mayo al 21 de junio

Los Géminis son brillantes y muy inteligentes. Son
excelentes en el arte de las comunicaciones —electróni-
cas, libros, teléfonos, relaciones públicas. También son
buenos artistas y buenos mentirosos°. Siempre están
atrasados°.

personas que no dicen
la verdad
están... nunca llegan
a tiempo

CÁNCER

del 22 de junio al 22 de julio

Muchas veces los Cáncer parecen rudos, pero son sentimentales y lloran° fácilmente. Les gustan el dinero, las
perlas°, sus casas y la historia. Les gustan mucho la
comida muy elegante y las cosas muy antiguas.

lloran

perlas

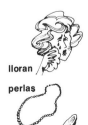

LEO

del 23 de julio al 22 de agosto

Los Leos tienen las características de los grandes jefes: dignidad y generosidad. Pero también pueden ser egoístas y dominantes. Un Leo dará todo por la adulación. Les gustan las flores y las cosas románticas. Son buenos actores y políticos.

VIRGO

del 23 de agosto al 22 de septiembre

Los Virgos son tranquilos y delicados. Sienten la necesidad de servir a otras personas. Sus características son la simplicidad, el calor y los ojos brillantes. Muy prácticos, pueden ser excelentes secretarias o enfermeras°. Detrás de los ojos brillantes está la invitación al amor.

enfermera

LIBRA

del 23 de septiembre al 23 de octubre

Exteriormente, los Libras quieren dirigir a otras personas, pero interiormente quieren la paz° sobre todo. Les gusta estar en un ambiente de libros, luz de velas° y flores, y si están en otra atmósfera, se sienten nerviosos. Como desean tanto la armonía, a veces están desilusionados con la vida real.

tranquilidad; estado armonioso, sin conflicto

velas

ESCORPIÓN

del 24 de octubre al 21 de noviembre

Los Escorpiones son explosivos, con inclinaciones a los excesos y a la venganza°, pero exteriormente parecen fríos. Les gusta pensar en los misterios del nacimiento°, de la muerte° y de la reencarnación. Como creen ''ojo por ojo y diente° por diente'', son excelentes agentes secretos y criminales naturales.

revancha

comienzo de la vida

terminación de la vida

diente

SAGITARIO

del 22 de noviembre al 21 de diciembre

El símbolo de los Sagitarios es un payaso° con una cara   **payaso**
de varios colores, porque los Sagitarios son eternos
optimistas. Sienten una obligación al honor y son brutalmente francos. Entienden inmediatamente la parte
más importante de todas las cosas. Les gusta mucho
estar con otras personas y hacen buenos doctores o
comediantes.

Adaptación de un artículo de *Life en Español*

[717 palabras]

Ejercicios

DEFINICIONES

Un *escéptico* es alguien que no cree fácilmente.

1. Un _____ es alguien que no dice la verdad.
2. Un _____ es alguien que nunca llega a tiempo.
3. Un _____ es alguien que vende cosas.
4. Un _____ es alguien que cree que todo termina bien.
5. Un _____ es alguien que estudia los astros.
6. Un _____ es alguien que cree en algo.

ESTRUCTURAS

A

(los Acuarios; el amor)

ESTUDIANTE A: **¿En qué piensan los Acuarios?**
ESTUDIANTE B: **Piensan en el amor.**

1. (los Tauros; los lujos)
2. (los Capricornios; la familia)
3. (los astrólogos; la astrología)
4. (los Cáncer; cosas antiguas)
5. (los Leos; cosas románticas)
6. (los Escorpiones; el misterio del nacimiento)
7. (los Libras; la armonía)

B

(los Acuarios; la sensación)

ESTUDIANTE A: **A los Acuarios, ¿qué les gusta?**
ESTUDIANTE B: **Les gusta la sensación.**

1. (los Piscis; bailar y beber vino)
2. (los Tauros; los baños de burbuja)
3. (los Géminis; el arte de las comunicaciones)
4. (los Leos; las flores)
5. (los Virgos; servir a otras personas)
6. (los Capricornios; creer que son pícaros)

C

Cambie al futuro.

Como jefes naturales, *son* valientes. → Como jefes naturales, *serán* valientes.

1. La astrología es importante en casi todos los aspectos de la vida.
2. Muchas veces los escépticos no están de acuerdo.
3. Los Acuarios siempre son excéntricos.
4. Muchas veces los Géminis están atrasados.
5. Muy prácticos, los Virgos son excelentes secretarios.
6. Un Tauro es un buen vendedor.
7. A veces los Libras están desilusionados con la vida real.

¿VERDADERO O FALSO?

Corrija la oración si es falsa.

1. Los Capricornios siempre son malos.
2. Los Aries son buenos soldados.

3. Los Cáncer parecen rudos y no son sentimentales.
4. Los Virgos son tranquilos y delicados.
5. Los Libras son excelentes agentes secretos y criminales naturales.
6. Se puede decir fácilmente que la astrología es pura ficción.
7. Según el artículo, poca gente se interesa en la astrología.
8. En muchos periódicos de los Estados Unidos se presentan horóscopos.

PREGUNTAS

1. ¿En cuáles aspectos de la vida tiene importancia la astrología?
2. Si el zodíaco no es bueno, ¿qué pasa con el matrimonio de algunos jóvenes?
3. ¿Dónde se puede leer el horóscopo del día?
4. ¿En qué son similares los siguientes?
   a. los Tauros y los Cáncer
   b. los Piscis y los Capricornios
   c. los Escorpiones y los Piscis
5. ¿En qué son diferentes los siguientes?
   a. los Aries y los Libras
   b. los Sagitarios y los Géminis

HORÓSCOPO

Haga su propio horóscopo, en forma oral o escrita. Escoja las palabras siguientes que describen mejor a usted.

escéptico	frío	sensual	elegante
optimista	mentiroso	buen vendedor	generoso
pícaro	tranquilo	siempre atrasado	nervioso
valiente	agradable	artista	explosivo
delicado	violento	franco	desilusionado
creyente	egoísta	inteligente	práctico
excéntrico	dominante	sentimental	agresivo

PUNTOS DE VISTA

Discuta en forma oral o escrita.

1. Para usted, ¿qué importancia tiene la astrología?
2. ¿Cree usted en el dicho: "Quiero vivir y dejar vivir"?
3. ¿Por qué creen muchos hombres en cosas misteriosas (como el zodíaco)?

9

Una contribución mexicana: el "nutrinpi"

La dieta del campesino mexicano deja mucho que desear, sobre todo para los niños, porque no tiene la cantidad necesaria de leche fresca. El gobierno mexicano, preocupado por este problema, ha favorecido el estudio y perfeccionamiento de un alimento° especial, equivalente a un vaso de leche enriquecida°: el "nutrinpi".

algo que se come

hecha más rica (en vitaminas, etc.)

¿Qué es el nutrinpi?

Es un dulce, una tableta de cinco centímetros de largo y dos de grosor°, que se distribuye diariamente° a

cada día

grosor

largura

los niños en las áreas rurales. Su fórmula no es complicada. Se compone de leche, soja, azúcar, grasa vegetal, vitamina B, hierro° y fósforo. Puede tener diferentes sabores: menta, limón, vainilla, chocolate y banana.

mineral nutritivo

El nutrinpi presenta grandes ventajas° en relación a   grandes... gran superioridad
la leche fresca: no necesita refrigeración, puede con-
servarse en buen estado durante siete meses, su
transporte es fácil y económico y es más nutritivo que
la leche. Gracias a la nueva planta productora de
nutrinpi, tres millones de niños campesinos recibirán
todos los días su vaso de leche enriquecida.

El Jefe del Departamento de Elaboración de Desayunos Infantiles del INPI (Instituto Nacional de Protección de la Infancia), dice: ''Estamos llegando por
primera vez a los niños pobres con un producto que

contiene un alto grado de proteínas y calorías. La mayor parte de los niños reciben una alimentación inferior en un 60 por ciento a sus necesidades. Su situación es dramática. Esto nos preocupa y estamos poniendo todo nuestro esfuerzo, tanto en los desayunos escolares como en este nuevo producto."

El programa del INPI se complementa con cursos intensivos a grupos de campesinas que más tarde explicarán las nuevas técnicas alimenticias e higiénicas entre sus vecinas.

Adaptación de un artículo de *Visión* (México)

[260 palabras]

Ejercicios

VOCABULARIO

con diferencia → diferentemente

1. con necesidad
2. con facilidad
3. con economía
4. con regularidad
5. con frecuencia

ESTRUCTURAS

A

Los niños lo *reciben* diariamente. → Los niños lo *recibirán* diariamente.

1. Los niños lo comen con placer.
2. La planta lo produce fácilmente.
3. Tiene varios sabores.
4. Cada tableta contiene muchas vitaminas.
5. Ponemos nuestro esfuerzo en los desayunos escolares.
6. Las mujeres explican el problema a sus vecinas.

B

¿Qué es más nutritivo, el nutrinpi o la leche? → Creo que el nutrinpi es más nutritivo que la leche.

1. ¿Qué tiene más sabor, el limón o la banana?
2. ¿Qué es más necesario, la leche o los dulces?
3. ¿Qué es más importante, la nutrición o los juegos?
4. ¿Qué es más grande, un vaso de leche o una tableta de nutrinpi?
5. ¿Qué es más difícil, la distribución o la producción?

¿VERDADERO O FALSO?

Corrija la oración si es falsa.

1. La dieta del campesino mexicano es nutritiva.
2. El nutrinpi es una tableta de cinco centímetros de largo y dos de grosor.
3. Una tableta de nutrinpi es equivalente a un vaso de leche.
4. El nutrinpi se conserva en refrigerador.
5. Cincuenta mil niños recibirán diariamente nutrinpi.
6. El nutrinpi contiene muchas proteínas y calorías.
7. El INPI no se interesa en otra cosa que el nutrinpi.
8. Con los cursos intensivos el INPI quiere enseñar a las campesinas a producir el nutrinpi.

PREGUNTAS

1. ¿Por qué deja mucho que desear la dieta del campesino?
2. ¿Qué favorece el gobierno mexicano?
3. ¿Qué es el nutrinpi?
4. ¿De qué se compone la tableta?
5. ¿Qué sabores puede tener?
6. ¿Cuáles son las ventajas del nutrinpi?
7. ¿Cuáles son los otros dos programas del INPI que complementan el nutrinpi?

PUNTOS DE VISTA

Discuta en forma oral o escrita.

El gobierno no debe fabricar productos alimenticios como el nutrinpi sino debe dejar esto a la industria privada.

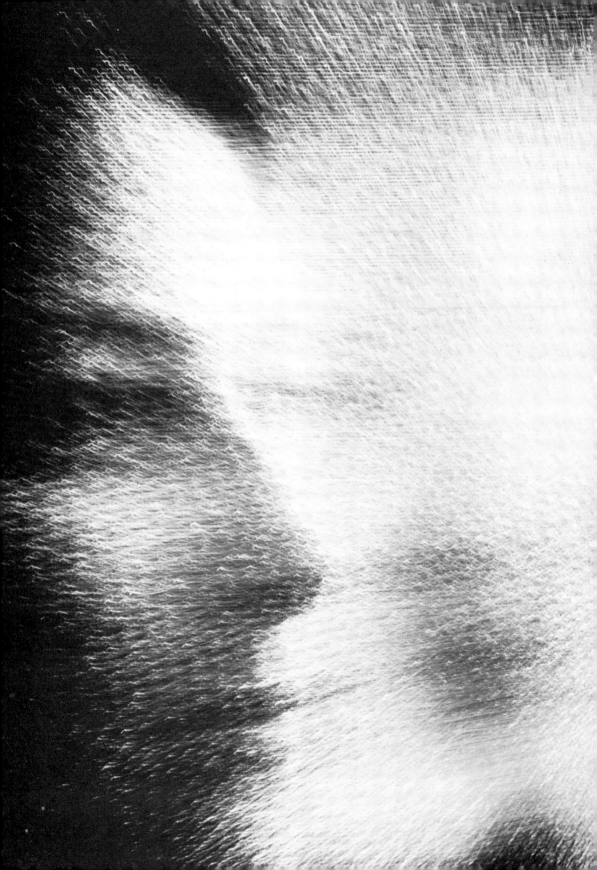

10
Descifre sus sueños°

Descifre... entienda las escenas que usted ve cuando duerme

Estimado lector:

¿Ha tenido un sueño que no entiende? Le daremos su buena interpretación. Mande el sumario de su sueño a esta revista para saber lo que significa.

D. G. M., CARACAS: *Soñé que andaba por un lugar que estaba en ruinas. No conocí el lugar. Las personas allí andaban buscando algo y parecían desorientadas. A lo lejos vi unos árboles que eran familiares porque estaban cerca de mi casa. De pronto encontré a una hermana mía que andaba desorientada y parecía perdida. Yo fui hacia ella, muy contento de verla, pero tuvo poca reacción a mi presencia y solamente me dijo que ella tenía que volver a casa para ayudar en los preparativos del matrimonio de nuestro hermano mayor. Yo salí rápidamente hacia la casa y, al llegar, encontré la casa completamente vacía°.*

sin personas

INTERPRETACIÓN:

Todo su sueño está relacionado con el matrimonio de su hermano. Parece que su familia, y principalmente

51

usted, no está contenta con este matrimonio. Las ruinas en su sueño parecen estar asociadas con este matrimonio también. Pueden indicar que en su opinión este matrimonio puede resultar en consecuencias tristes. La casa vacía significa la falta de una persona querida, y esta falta trae una emoción muy triste.

Adaptación de un artículo de _Momento_ (Caracas)

[200 palabras]

Ejercicios

ADJETIVOS

Halle en el texto el adjetivo apropiado.

1. Una persona _____ no sabe donde está.
2. El hijo que nació primero es el hermano _____.
3. No hay nadie en una casa _____.
4. No salió lentamente, salió _____.
5. Este sueño no es alegre, es _____.

ESTRUCTURAS

A

Salí rápidamente. No vi a mi hermana. → Salí rápidamente sin ver a mi hermana.

1. Las mujeres volvieron a casa. No vendieron nada.
2. Mi familia prepara el matrimonio. No saben qué hace mi hermano mayor.
3. Mis hermanas se divirtieron. No pensaban en el futuro.
4. Me casé con la persona que amaba. No encontré consecuencias tristes.
5. Salí de la casa. No cerré la puerta.

B *Transposición*

Cuente o escriba el sueño, cambiando los verbos al presente.

"Sueño que ando por un lugar..."

¿VERDADERO O FALSO?

Corrija la oración si es falsa.

1. En el sueño el señor encontró a su hermano mayor.
2. Cuando llegó a la casa, la encontró llena de gente.
3. Según la interpretación, la familia tiene poca reacción a la idea del matrimonio del hermano mayor.
4. Una casa vacía es un símbolo de alegría.

PREGUNTAS

1. ¿Quién sueña, un hombre o una mujer?
2. ¿Por dónde andaba la persona en el primer sueño?
3. ¿Por qué eran familiares los árboles?
4. ¿Cómo era la reacción de su hermana cuando la encontró?
5. ¿Cómo estaba la casa cuando llegó?
6. ¿Qué es el motivo verdadero de este sueño?
7. ¿Qué significan las ruinas y la casa vacía en el sueño?

PUNTOS DE VISTA

Discuta en forma oral o escrita.

1. Es completamente falso atribuir una significación verdadera a los sueños.
2. Las personas que sueñan muy a menudo no tienen la conciencia tranquila.
3. La interpretación de los sueños es un servicio importante que debe ofrecer una revista a sus lectores.
4. Yo también quisiera escribir uno de mis sueños a este experto y saber su interpretación.

SEGUNDO
NIVEL

11
La otra cara del humor

El humor tiene dos caras. Puede ser simplemente una diversión; se ríe y se olvida inmediatamente. O puede ser un comentario social; entonces se ríe pero no se olvida fácilmente. Con la ayuda de caricaturas que aparecieron en dos revistas latinoamericanas, usted va a ver la otra cara del humor.

[51 palabras]

—¿Qué escondes ahí detrás?

Adaptación de una caricatura de *Momento* (Caracas)

Ejercicios

CUENTO Y DIBUJO

El profesor selecciona tres o cuatro estudiantes que, en grupo, deben contar la primera caricatura a los otros (que tienen los libros cerrados), de modo que ellos puedan reproducirla.

ESCENA

Varias parejas de estudiantes representan, con sus propias palabras, la escena de la segunda caricatura.

SÍMBOLOS

Trate de identificar, en forma oral o escrita, todos los símbolos (convenciones visuales) contenidos en la primera caricatura. Símbolos del poder (la ametralladora°), de la libertad (la flor), etc.

ametralladora

12
La pesca como deporte
(Sport)

¿Ha luchado usted alguna vez con un pez que es tan
grande que tiene la capacidad de arrastrar a una per-   tirar
sona por el agua durante dieciocho horas sin parar ni   cesar
cansarse? ¿Ha tenido usted alguna vez la oportunidad
de pescar tal pez? Es probable que no.

Hay en el mar un pez que puede luchar así por la vida. Se llama sábalo°, y es de una familia de peces prehistóricos que tenían la forma de un torpedo. Existe hoy día en la misma forma que tenía hace millones de años.

sábalo

El sábalo puede llegar a ser muy grande. Hay información sobre un sábalo capturado en la Florida en 1912, el cual, según los pescadores que lo pescaron, pesaba unos 160 kilos°. Por eso y por su capacidad de luchar hasta dieciocho horas sin cansarse y algunas veces escapándose, es el pez más deseado por los pescadores deportivos del mundo.

160... 352 libras

Hay muchos cuentos sobre este monstruo prehistórico, pero basta con presentar aquí uno relatado por Antonio Adem, Presidente del Club de Pesca Tuxpan. Un día él y su hermano José fueron a buscar sábalos en el golfo de México. Antonio nos relata lo que pasó:

...Sabíamos que con un poco de suerte íbamos a ver unos sábalos. Las horas de la mañana pasaban rápidamente mientras navegábamos por el golfo. Por un largo rato no vimos nada, pero, de repente° oí los gritos de uno de mis compañeros. Él podía ver muchos sábalos que venían del sur hacia el norte detrás de la lancha°. La emoción era grande, pero era necesario tener calma...

de... en un cierto momento; súbito

lancha

Así relataba Antonio el episodio. Dijo que los peces siguieron la lancha por una hora. Durante ese tiempo llegaron otras lanchas hasta que llegaron a ser quince. Navegaban en perfecta formación: "¡Era un hermoso espectáculo!"

—Estábamos preocupados°. Estábamos cerca del límite de la zona de pesca y todavía no pescábamos ni un solo sábalo. Pronto íbamos a tener que dejar nuestra aventura.

inquietos

—De repente, vimos que uno de los otros pescadores pescó algo. ¡Era un sábalo! Al ver eso, todos nos pusimos alegres. ¡Había esperanza! ¡Los sábalos empezaban a comer! Las cañas de pescar° estaban listas.

cañas de pescar

—Por fin llegó nuestra oportunidad. Un sábalo mordió el anzuelo°, y la lucha comenzó. El

mordió el anzuelo

sábalo saltó del agua una, dos y hasta cinco veces, pero no podía escaparse. No podía hacer nada más que defenderse la vida. Así pasamos una hora, dos horas. El pez seguía la lancha con el anzuelo todavía en la boca.

—Empecé a pensar en cuentos de otros pescadores. Me contaron historias de algunas luchas que duraron ocho horas y otras dieciocho. Cuando me dijeron esto, no lo creía. Pero ahora pensaba que me iba a ocurrir lo mismo.

—Pasó otra media hora; por fin, mi adversario comenzó a cansarse. Llegó el momento de terminar la lucha. El pez saltó por última vez y me bañó completamente. Finalmente, mi amigo y yo lo pusimos en la lancha y empezamos nuestro viaje triunfal hacia el Club de Pesca. Una vez allí, encontramos que nuestro sábalo pesaba unos sesenta y cinco kilos°. Así ganamos el primer premio; regalos, trofeos y una hermosa lancha que hoy guardamos como recuerdo de un día de triunfo frente al pez valiente.

sesenta... 143 libras

Adaptación de un artículo de *Mañana* (México)

[553 palabras]

Ejercicios

FAMILIA DE PALABRAS

Dé el sustantivo que corresponde a cada uno de los verbos siguientes.

pescar → la pesca

1. luchar *la lucha*
2. contar *la cuenta*
3. gritar *el grito*
4. calmar *la calma*
5. viajar *el viaje*
6. esperar *la esperanza*
7. limitar
8. formar
9. aventurar

DEFINICIONES

Un pez muy deseado por los pescadores es *el sábalo*.

1. Los que pescan más por la satisfacción que por la comida son pescadores
   _____.
2. Defenderse con energía es _____.
3. Lo que relatan los pescadores después de una lucha con un pez es
   _____.
4. Un tipo de barca en que los hombres navegan sobre el agua es _____.
5. Lo que tienen en las manos los pescadores para coger peces es _____.
6. Otra palabra para *comenzar* es _____.

ESTRUCTURAS

A

ESTUDIANTE A: **Pescaron un sábalo más grande.**
ESTUDIANTE B: **De veras, ¿han pescado uno más grande?**

1. Encontraron un pez más fuerte.
2. Pescaron un pez más valiente.
3. Contaron una historia más interesante.
4. Ganaron un trofeo más grande.
5. Compraron una lancha más hermosa.

B

ESTUDIANTE A: **Hay muchos cuentos sobre estos monstruos.**
(presentar uno)

ESTUDIANTE B: **Sí, pero basta con presentar uno.**

1. Hay muchos peces en el mar. (pescar sábalos)
2. Hay muchos premios para ganar. (ganar uno)
3. Hay muchos sábalos que vienen detrás de la lancha. (pescar uno solo)
4. Hay muchas lanchas para comprar. (comprar la más hermosa)
5. Hay muchas historias de luchas con sábalos. (contar una)

C

ESTUDIANTE A: **¿Se defendió la vida?**

ESTUDIANTE B: **Sí, no podía hacer nada más que defenderse la vida.**

1. ¿Seguía los sábalos?
2. ¿Empezaron su viaje sin él?
3. ¿Dejó su aventura?
4. ¿Lucharon durante muchas horas?
5. Por fin, ¿abandonaron la lucha?

D

Los peces siguieron la lancha. Navegaban en perfecta formación. → Los peces, que navegaban en perfecta formación, siguieron la lancha.

1. Este pez puede luchar por la vida durante muchas horas. Se llama sábalo.
2. El sábalo existe hoy día en la misma forma que tenía hace muchos años. Es un pez valiente.
3. Los sábalos presentaron un hermoso espectáculo. Venían hacia el norte.
4. Mi adversario saltó por última vez. Comenzó a cansarse.
5. El pez seguía la lancha. Tenía el anzuelo en la boca.

¿VERDADERO O FALSO?

Corrija la oración si es falsa.

1. El sábalo existe hoy día en forma diferente de la que tenía hace millones de años.
2. Un sábalo tiene la forma de un torpedo.
3. Se puede encontrar los sábalos en el golfo de México cerca de la Florida.
4. Después de algunos minutos, un sábalo mordiendo el anzuelo se cansa y no se defiende más la vida.
5. No se escapa nunca un sábalo de un pescador deportivo.
6. No sabemos mucho sobre este monstruo prehistórico.

7. Al principio, por un largo rato, los pescadores de este cuento no se encontraron con nada.
8. Los sábalos pasaron el límite de la zona de pesca antes de morder el anzuelo.
9. Parece que la lucha entre Antonio y el sábalo no duró más de tres horas.
10. El pez que pescaron Antonio y su hermano fue el más grande de todos.

PREGUNTAS

1. ¿Por qué es el sábalo el pez más deseado por los pescadores deportivos del mundo?
2. ¿Quién relata el cuento?
3. ¿Dónde estaban los pescadores del cuento?
4. ¿Cuándo encontraron los sábalos?
5. ¿Quién vio primero los peces?
6. ¿En qué dirección venían?
7. ¿Por qué llegaron otras lanchas?
8. ¿Durante cuánto tiempo siguieron los sábalos la lancha?
9. ¿Por qué estaban preocupados los pescadores?
10. ¿Qué les faltaba esperar?
11. ¿Durante cuánto tiempo luchaba Antonio contra el pez?
12. ¿Qué pasó cuando el sábalo saltó por última vez?
13. ¿Cuánto pesaba el pez de los hermanos?
14. ¿Por qué estaban tan contentos con este pez? ¿Qué ganaron?
15. ¿Va continuando el interés de Antonio Adem en la pesca?

PUNTOS DE VISTA

Discuta en forma oral o escrita.

1. ¿Ha tenido usted alguna vez la oportunidad de pescar un pez muy grande?
2. ¿Piensa usted que la pesca de sábalos debería ser prohibida o no?
3. ¿Hay una diferencia importante entre los deportes en que se juega para ganar (tenis, golf) y aquéllos en que se juega para matar (corrida de toros, pesca deportiva)?

13
Los grandes casos
del inspector Begonias

Busque la solución a esta historieta-enigma.

5

6

7

8

¿CUÁL ES
LA
MENTIRA?

► LA SOLUCIÓN
EN LA PÁGINA 70

Le damos una pista: Los nacidos en diciembre deberán evitar cualquier encuentro con el inspector Begonias. Si no lo pueden, deberán leer nuestro artículo ocho, "Un viaje por el zodíaco", antes de responder.

Adaptación de un juego de *Gente* (Buenos Aires)

[128 palabras]

Ejercicios

CRUCIGRAMA

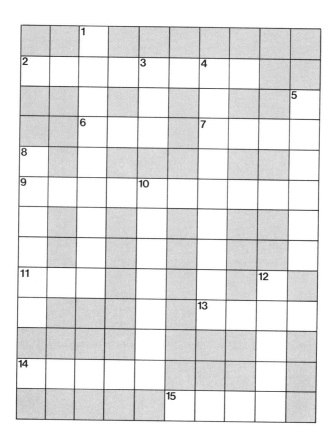

Horizontal

2. Encantado de haberlo _____.
6. Se pone mantequilla en el _____.
7. Edificio donde se ve una película
9. Principio de la vida
11. El Caribe, por ejemplo
13. El número de años que tiene una persona
14. Sinónimo de *está*: Usted _____ arrestado.
15. El contrario de *ésa*

Vertical

1. Agente de la policía
3. El contrario de *sin*
4. El último mes del año
5. Modo de hacer algo
8. Misterio
10. Algo que no es verdad
12. *Hace*, al imperfecto

68

▶ **la solución en la página 70**

ESTRUCTURAS

A

Usted es inspector y está interrogando a un muchacho mentiroso. Cada vez que responde, usted corrige su respuesta, siguiendo el modelo.

MUCHACHO: **Mi signo es Sagitario.   (Capricornio)**

INSPECTOR: **¡Mentira! ¡Su signo no es Sagitario sino *Capricornio*!**

1. MUCHACHO: Estaba en Montevideo.   (Buenos Aires)
   INSPECTOR:
2. MUCHACHO: Tengo veinte años.   (diecinueve)
   INSPECTOR:
3. MUCHACHO: Fui al cine a ver "Prisionero del mar".   ("Casablanca")
   INSPECTOR:
4. MUCHACHO: Tengo novia.   (esposa)
   INSPECTOR:
5. MUCHACHO: Leí *Rosaura a las diez*.   (*Cien años de soledad*)
   INSPECTOR:

B

ESTUDIANTE A: **¿Puede salir el muchacho de la estación de policía? (arrestado)**

ESTUDIANTE B: **No, porque queda *arrestado*.**

1. ESTUDIANTE A: ¿Puede escapar el muchacho?   (vigilado)
   ESTUDIANTE B: No,
2. ESTUDIANTE A: ¿Hay otros prisioneros con él?   (solo)
   ESTUDIANTE B: No,
3. ESTUDIANTE A: Muchos prisioneros han escapado. ¿Y el muchacho? (listo para escapar)
   ESTUDIANTE B: No, pero
4. ESTUDIANTE A: ¿Ya han arrestado a su hermano también?   (libre)
   ESTUDIANTE B: No, todavía
5. ESTUDIANTE A: Han arrestado al muchacho. ¿Está contento el inspector? (contento)
   ESTUDIANTE B: Sí,

PREGUNTAS

1. El inspector tiene un método de interrogatorio muy simple. ¿Cuál es?
2. El muchacho fue al cine. ¿Qué película vio?
3. ¿Bajo qué signo del zodíaco nació el muchacho?
4. ¿Es culpable o inocente el muchacho?
5. ¿Cuál es la mentira?
6. ¿Conoce bien el zodíaco el inspector Begonias?

▶ Solución para la historieta-enigma, página 66

El muchacho nació el veinticuatro de diciembre.
¡Su signo no es Sagitario, sino Capricornio!

▶ Solución para el crucigrama, página 68

	I								
C	O	N	O	C	I	D	O		
		S		O		I			M
		P	A	N		C	I	N	E
E		E				I			T
N	A	C	I	M	I	E	N	T	O
I		T		E		M			D
G		O		N		B			O
M	A	R		T		R		H	
A				I		E	D	A	D
				R		C			
Q	U	E	D	A		I			
				E	S	T	A		

14

La mujer en Latinoamérica

Los movimientos de liberación femenina se extienden
rápidamente en todos los países. En Latinoamérica, las
mujeres son más o menos conscientes de los problemas
específicamente femeninos, más o menos militantes, según
la posición económica y social que ocupan. Presentamos
aquí cinco aspectos, entre otros, de la mujer latinoamericana de hoy.

1
Un círculo de mujeres privilegiadas

En Buenos Aires hay una organización que se llama el Círculo Femenino. El Círculo quiere salvar a la mujer argentina, quiere enseñarle un pasatiempo y levantar su apreciación de la cultura.

"La importancia del Círculo", dice el director, "no es la instrucción. Es la comunicación. La mujer argentina no es como la norteamericana que desea su propia vida."

El tema de una discusión del Círculo era: "¿Qué busca la mujer en el hombre?" Había más de cien mujeres y unos hombres hablando sobre este tema durante dos horas. Algunas mujeres famosas que han escrito libros y artículos para periódicos tenían sus ideas. Todas las mujeres eran francas en sus opiniones. Dijo Marta Lynch, autora, "Es difícil andar detrás de un hombre simplemente porque una es mujer". "Uno no tiene que perder la individualidad cuando se casa°,   se... entra en matrimonio
protestó Nanda de Langlais, esposa° de un actor,   mujer de un matrimonio
"porque el matrimonio es un equilibrio entre un hombre y una mujer".

Las argentinas no podían decidir exactamente la posición de la mujer moderna. ¿Qué quieren las argentinas y las mujeres del mundo? ¿No perder su individualidad en el matrimonio? ¿Vivir su propia vida? ¿Competir con los hombres?

Adaptación de un artículo de *Visión* (México)

2
La mujer de negocios

La señora Blanca Rosa Álvarez Rodríguez, huérfana° a
los diecisiete años de edad, tuvo muy joven su primera
experiencia en los negocios. Con un capital de $12.500,
que había heredado° de su madre, sin experiencia pero
con optimismo y visión, se dedicó a fabricar helados.
La única base fue unas recetas° italianas que usaba su
madre para hacer helados en casa los días de fiesta.
Abrió un pequeño establecimiento en la Avenida
Insurgentes que en pocos años ganó fama y prestigio.

la que no tiene ni padre ni madre

recibido después de la muerte
de una persona

fórmulas de cocina

Ocho años después, dejó su fábrica de helados en manos de otros directores, y se dedicó a viajar por diversas° partes del mundo. En 1954, con el capital necesario y mucha experiencia, empezó otra industria de helados. Su marca° comercial —Yom Yom— se popularizó muy pronto por toda la República Mexicana.

different   nombre de un producto

Cinco años más tarde vendió también esta empresa°, para empezar un instituto de belleza.

beauty   negocio, industria

La señora Álvarez tiene dos hijos casados. Ella misma se casó por segunda vez hace pocos años con el ingeniero boliviano Mario Cuellar y Valenzuela, y es Presidenta de la Asociación Mexicana de Mujeres Empresarias.

married

Adaptación de un artículo de *Tiempo* (México)

[460 palabras]

Ejercicios

FAMILIA DE PALABRAS

Dé el sustantivo que corresponde a cada uno de los verbos siguientes.

producir → producción

1. organizar
2. apreciar
3. instruir
4. comunicar
5. discutir
6. decidir
7. contribuir

ESTRUCTURAS

A

No deben vivir su propia vida. → No tienen que vivir su propia vida.

1. No debo perder la individualidad.
2. No debe competir con los hombres.
3. No debo decidir la posición de la mujer.

4. No debe levantar su apreciación de la cultura.
5. No debe empezar la discusión.
6. No debo enseñarles un pasatiempo.
7. No debemos escribir un artículo.
8. No deben buscar la receta.
9. No debe hacer los helados.

B

Conteste las preguntas siguientes.

¿Por qué necesitaba las recetas italianas? (para hacer) → Necesitaba las recetas italianas para hacer helados.

1. ¿Por qué existe el Círculo Femenino? (para salvar)
2. ¿Por qué discutían las mujeres del Círculo ese día? (para decidir)
3. ¿Por qué trabajan mucho unas mujeres? (para tener éxito)
4. ¿Por qué necesitaba capital la señora Álvarez? (para abrir)
5. ¿Por qué vendió su segunda empresa? (para empezar)
6. ¿Por qué es Presidenta de una Asociación? (para representar)

¿VERDADERO O FALSO?

Corrija la oración si es falsa.

1. El director del Círculo Femenino dice que la importancia de la organización es la instrucción.
2. Las mujeres argentinas querían decidir exactamente la posición de la mujer moderna, pero no podían.
3. Durante la discusión del Círculo, la esposa de un actor dijo que la mujer moderna pierde la individualidad cuando se casa.
4. Según algunas autoras, la mujer moderna debe andar detrás de los hombres.
5. La historia de la señora Álvarez indica que para una mujer es difícil tener éxito en el mundo de los negocios.
6. La señora Álvarez usaba unas recetas italianas heredadas de su madre.
7. Según estos dos artículos, la mujer latinoamericana ha sido completamente liberada de su posición tradicional.

PREGUNTAS

Un círculo de mujeres privilegiadas

1. ¿Qué es la importancia del Círculo Femenino?
2. ¿Qué era el tema de una discusión del Círculo?
3. ¿Qué idea tenía Marta Lynch?

4. ¿Tenía la señora de Langlais una opinión diferente? ¿Qué pensaba?

5. Después de la discusión, ¿qué decidieron las mujeres argentinas sobre la posición de la mujer moderna?

6. ¿Quedaban preguntas? ¿Cuáles?

La mujer de negocios

7. ¿Hay mujeres que han tenido éxito en el mundo de los negocios?

8. ¿Cómo era la señora Álvarez cuando tuvo su primera experiencia en los negocios?

9. ¿Cuánto dinero había heredado la señora?

10. ¿Qué fue la base para su primer establecimiento?

11. ¿Cómo se llamaba su marca comercial?

12. Después del éxito de las industrias de helados, ¿qué empezó la señora Álvarez?

13. ¿De cuál asociación es Presidenta la señora Álvarez?

14. De acuerdo con lo que se dice en estos artículos, ¿es la mujer latino-americana más independiente que la norteamericana?

NOTA: Antes de discutir el problema de la liberación femenina, sugerimos que usted lea también los artículos en el capítulo siguiente. Después del último artículo, usted hallará tópicos para el debate.

15

La mujer en Latinoamérica (continuación)

3
Conversación con una mujer trabajadora

Esta conversación tiene lugar de una manera muy singular. Hacemos la pregunta en el primer piso y recibimos la contestación en el tercero. Estamos en el interior del ascensor° del Ministerio de Gobernación°. Una simpática muchacha lo maneja°, y nuestra conversación se interrumpe a cada momento en que ella anuncia: sube... baja... sube... baja. Comenzamos preguntándole a la ascensorista su nombre.

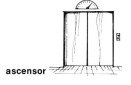

ascensor

ministerio que se ocupa de la organización interior del país / conduce

—Me llamo María Cecilia. Ustedes bajan, ¿verdad?
—*No, nosotros somos del periódico* Pueblo *y queremos conversar con usted.*
—¡Diga!
—*¿Hace mucho tiempo que trabaja aquí?*

—No, sólo cinco meses. Mi horario es de siete de la mañana a cuatro de la tarde.

—¿*Trabajó antes en otro lugar?*

—No, es la primera vez que trabajo.

—¿*Viene mucho público a este ministerio?*

—Sí, viene muchísima gente, especialmente los martes y los jueves. Vienen a pedir trabajo.

—¿*A qué piso va la gente preferentemente?*

—A todos los pisos, por igual. El edificio tiene seis.

—¿*El ministro, cuando sube en el ascensor, conversa con usted?*

—A veces me dice algo. Siempre es muy serio. Sube siempre en la mañana y baja a la hora del almuerzo.

—¿*Cuánto gana usted por mes?*

—Gano 650 colones°.

—¿*Es suficiente para sus gastos°?*

—Más o menos. Es poquito, y todo está carísimo.

—¿*Dónde pasa usted sus vacaciones?*

—¡En mi casa! Una no puede salir a pasear, no le dejan salir de casa. Pero... ¿qué importancia tiene todo esto?

—*Es importante. Lo que queremos saber es cómo viven las trabajadoras, y qué hacen para mejorar su situación. Bueno, díganos algo más serio. ¿Es usted miembro de un sindicato°?*

—No, no soy de ningún sindicato.

—¿*Cuál cree usted que es el principal problema de la mujer trabajadora?*

—Bueno, yo creo que es la falta de dinero, ¿no?

—¿*Es usted casada?*

—No, soy soltera. Tengo veinte años. Soy viejita ya.

—¿*Su novio no le dice nada porque trabaja? ¿No le pide quedarse en casa?*

—¡Si yo no tengo novio! Estoy demasiado ocupada para tener novio.

Terminamos nuestra entrevista° en el quinto piso y bajamos en silencio. Al salir del ascensor nos mira un poco preocupada. Nos dice: —por favor no pongan mi foto. Sonríe y cierra su ascensor.

Adaptación de un artículo de *Pueblo* (Costa Rica)

4
La india

En América ser india es lo último. Significa pertenecer
al grado más bajo en la escala social: sumisión, resignación, tristeza. Su vida individual se pasa en un medio
económico y cultural pobre, donde el desarrollo°
individual y el ascenso social es difícil, casi imposible.

progreso

La mujer india trabaja de sol a sol, trae un hijo cada
año, tiene hambre frecuentemente, recibe golpes° y es
vieja a los treinta años. Sin tiempo para descansar, la
madre india tiene que preparar la comida, llevarla al
campo a su marido, luego a los hijos, recoger leña°,
cuidar los animales y a los niños, coser° la ropa de la

recibe golpes

leña

coser

familia, etc. Además de las labores de la casa, tiene que
ir al mercado a vender la producción familiar° y en
ciertas estaciones° ayudar en el campo. Ser india significa tener muchas responsabilidades y muy pocos
derechos.

de la familia

partes del año (primavera, etc.)

La india vive sumergida en una sociedad machista°
donde el hombre, víctima también de la opresión social,
impone su ley. Puede maltratarla y darle golpes, ella
continúa leal. Tal vez (no es raro), el compañero se va,
dejándola abandonada con sus hijos. En estos casos la
mujer se ve obligada a trabajar fuera, es decir aceptar
tareas° duras y mal pagadas.

a predominación masculina

empleos

La actitud de la mayoría de las mujeres indias es la
resignación total.

Adaptación de un reportaje del correspondiente de *Le Monde*
(París)

5

La feminista activa

Los grupos feministas activos en Latinoamérica están formados por mujeres que han tomado conciencia de la injusticia social en su país y que tratan de hallar formas de acción para cambiar la sociedad en que viven.

La tarea principal del movimiento feminista es despertar° a las mujeres, hacerles ver su situación de inferioridad, convencerlas de que lo primero que debe cambiar es la idea que la mujer tiene de sí misma. Entonces, hay que pasar a la lucha contra la discriminación en todas sus formas. Las feministas dicen: estamos bajo una doble opresión. Primero, la que impone el sistema a todos, hombres y mujeres. Y segundo, la que encontramos como mujeres y que se desarrolla° en la familia, en el trabajo, en la calle, la escuela o la cama. Esto debe cambiar y hay que comenzar por la familia, cambiar la condición de la mujer dentro de ella, modificar la ley en lo que respecta a los derechos y obligaciones de la mujer en el matrimonio.

En el trabajo, la mujer quiere dejar de ser un elemento pasivo, quiere colaborar con los hombres y aceptar las mismas responsabilidades. ¡A trabajo igual, salario igual!

En la escuela, quieren las mismas posibilidades que las que se ofrecen a los niños, quieren eliminar todo elemento discriminatorio en textos, materias a estudiar, etc.

En la calle, quieren poder pasear por todas partes sin ser asaltadas por los hombres que se consideran con el derecho de decirles cosas que las indignan y violentan.

mover, excitar

tiene lugar

Ciudad de México
25 de junio, 1975

Angela Miler Baños, de Colombia,
a la Conferencia Mundial
del Año Internacional
de la Mujer

En la cama, quieren acabar de seguir necesariamente el ritmo y las condiciones de la sexualidad masculina.

El movimiento debe ocuparse de todas la mujeres, porque no se puede liberar una parte de ellas solamente. Debe militar a todos los niveles sociales: entre amas de casa°, intelectuales, trabajadoras, burguesas° y empleadas. Su trabajo es diseminar las ideas feministas por todos los medios: revistas, libros, radio, televisión. Todo es bueno si sirve para ayudar a la liberación de la mujer y a través de ello a la transformación de la sociedad en su totalidad.

amas... mujeres que se ocupan exclusivamente de sus hogares / mujeres de la clase media superior

Adaptación de un artículo del boletín feminista *Nosotras* (París)
[897 palabras]

Ejercicios

Dé el sustantivo que corresponde a cada uno de los adjetivos siguientes.

triste → tristeza

1. ocupada
2. resignada
3. obligada
4. responsable
5. liberada
6. joven

¿POR O PARA?

*Varias parejas de estudiantes pueden participar en la conversación siguiente, entre el periodista y la ascensorista. Deben llenar los espacios con **por** o **para**.*

PERIODISTA:	Estamos aquí _____ hacerle una entrevista, señorita.
ASCENSORISTA:	De acuerdo. ¿Qué preguntas tiene?
PERIODISTA:	De preferencia, ¿a qué piso va la gente?
ASCENSORISTA:	A todos, _____ igual.
PERIODISTA:	Dígame, _____ favor, ¿cuánto gana usted _____ mes?
ASCENSORISTA:	650 colones.
PERIODISTA:	¿Es bastante _____ vivir bien?
ASCENSORISTA:	No, no es suficiente _____ pagar mis gastos.
PERIODISTA:	¿Cuántas vacaciones tiene usted _____ año?
ASCENSORISTA:	Dos semanas, nada más.
PERIODISTA:	¿Quiere usted tener más vacaciones?
ASCENSORISTA:	¡_____ supuesto!
PERIODISTA:	Gracias, señorita, _____ su amabilidad.
ASCENSORISTA:	_____ servirle, señor. Adiós.

ESTRUCTURA

ESTUDIANTE A: **¿Es necesario combatir la discriminación?**
ESTUDIANTE B: **Sí, hay que combatirla.**

1. ¿Es necesario mejorar la condición de la india?
2. ¿Es importante obtener salarios más elevados?
3. ¿Es urgente liberar la india latinoamericana?
4. ¿Es necesario cambiar la condición de la mujer dentro de la familia?
5. ¿Es esencial mejorar el nivel económico de la mujer?

PREGUNTAS

Conversación con una mujer trabajadora

1. ¿Entre quiénes tiene lugar esta entrevista?
2. ¿Cuántas horas trabaja la ascensorista cada día?
3. ¿Le presta mucha atención el ministro?
4. ¿Puede comprar mucho con su salario?
5. ¿Por qué no va ella de vacaciones?
6. ¿Es miembro de una organización de trabajadores?
7. ¿Qué le preguntan de su novio? ¿Por qué no tiene novio?

La india

1. ¿Cómo se caracteriza el mundo económico y cultural de la mujer india?
2. ¿Por qué es vieja a los treinta años?
3. ¿Por qué es a la vez víctima y rey el indio?
4. ¿Qué hace la india si su marido la abandona?
5. ¿Cuál es la actitud de las mujeres indias?

La feminista activa

1. ¿Quiénes son los miembros de los grupos feministas?
2. ¿Cuál es la "doble opresión"?
3. ¿Dónde tiene que empezar la reforma?
4. ¿Qué reforma es necesaria en el trabajo? ¿En la escuela? ¿En la calle? ¿En la cama?
5. ¿A quiénes quieren liberar las feministas?

DEBATE

El estudiante lee en silencio las proposiciones siguientes; después pone una X en el lugar de la línea que indica su opinión. La clase se divide entonces en "pro" y "contra" (¡no necesariamente hombres y mujeres!) para debatir cada proposición. Se trata de identificar también los argumentos sobre los cuales hay concordancia, no solamente las diferencias. Terminado el debate, se puede poner una O en cada línea para darse cuenta de los cambios de opinión. Por fin, cada estudiante resume sus ideas en forma escrita, en uno o dos párrafos.

1. Una novia debe quedarse en casa y no trabajar si se lo pide su novio.

   pro ———— contra

2. Si el marido gana el dinero, tiene el derecho de imponer su ley en casa.

   pro ———— contra

3. Las mujeres casadas tienen suerte porque no están obligadas a trabajar fuera de la casa. El trabajo es una obligación, no es un placer. *pleasure*

   pro ———— contra

4. El mayor problema de la mujer es el concepto que tiene de sí misma. *herself*

   pro ———— contra

5. La mujer y el hombre deben tener derechos iguales en el matrimonio.

   pro ———— contra

6. Las mujeres tienen el derecho de recibir salario igual a trabajo igual.

   pro ———— contra

7. Las mujeres de todas las clases sociales —amas de casa, empleadas, indias— tienen que ser liberadas. Si no, el movimiento no tendrá éxito.

   pro ———— contra

8. Hace años que el hombre impone su ley. Ahora la mujer va a imponer la suya, y el hombre tendrá que obedecerla.

   pro ———— contra

9. Cualquier acción es justificada si sirve para ayudar a la liberación feminista.

   pro ———— contra

16

Cocina: dos recetas

1. Bananas con jamón

2. Guacamole

escudilla

batidor de huevos

jarra

bananas

cacerola

huevos

portaolla

jamón cocido

queso rallado

1. Bananas con jamón

Pele seis bananas grandes, preferentemente de Ecuador.

Envuélvalas° con jamón cocido. rodéelas

Separadamente, bata dos huevos con media taza de crema, 100 gramos de queso rallado° y media taza de leche. **queso rallado**

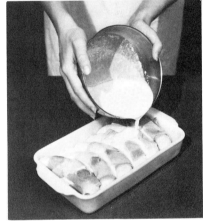

Arregle las bananas envueltas en un recipiente y báñelas con el batido.

Páselas por horno° moderado por veinte minutos y sírvalas. **horno**

¡Qué rico!

**Adaptación de un artículo de *Siete Días Ilustrados*
(Buenos Aires)**

2. Guacamole

Nuestra segunda receta se puede hacer fácilmente en la clase… si se puede obtener aguacates°.

aguacates

Ingredientes:

4 aguacates maduros, pero no demasiado

1 cebolla° grande

cebolla

   (o una cucharadita° de jugo de cebolla)

  cucharadita

1 tomate

1 huevo duro

1 limón hecho jugo

2 cucharadas° de queso blanco rallado

  cucharada

sal y pimienta

Manera de hacerse:

Pele los aguacates. Con una cuchara de madera (¡si no es de madera, los aguacates se pondrán negros!), convierta los aguacates en puré. Agregue la cebolla picada°, el tomate picado, el jugo de limón, y sazónelo con sal y pimienta. Mézclelo. Póngalo en otro recipiente más atractivo, agregue por encima el huevo duro picado y el queso blanco rallado, y ¡ya está listo para servir!

cebolla picada

Adaptación de una receta de _Temas_ (Nueva York)

[187 palabras]

91

NOTA: Después de comer los aguacates, usted puede obtener plantas hermosas de sus semillas de la siguiente manera. Ponga la semilla al sol por tres días. Después póngala en agua hasta que la cubra. Cuando tenga ocho pulgadas de altura, pásela a la tierra.

Ejercicios

IMPERATIVOS

A

Dé el imperativo de los verbos siguientes.

poner → ¡ponga!

1. pelar
2. envolver
3. batir

4. arreglar
5. bañar
6. pasar

7. hacer
8. mezclar
9. servir

B

Siguiendo el modelo, escriba el imperativo de los mismos verbos.

poner → ¡póngalas!

COCINA *(ejercicio de comprensión auditiva)*

A

Mientras el profesor le da las instrucciones para preparar bananas con jamón, haga el gesto apropiado que indica su comprensión. Mire ahora al profesor.

El profesor dice:
1. Pele las bananas. *(pausa; gesto confirmativo)*
2. Envuélvalas con el jamón.
3. Bata los huevos.
4. Prepare el queso rallado.
5. Arregle las bananas en un recipiente.
6. Báñelas con el batido.
7. Póngalas en el horno.
8. Sírvalas a sus invitados.

B

Repita el ejercicio con parejas de estudiantes. Uno da las instrucciones (de memoria), el otro hace el gesto apropiado.

PROYECTOS INDIVIDUALES

Varios estudiantes aceptan demostrar aspectos de la cocina hispánica. Se puede preparar así hasta una comida completa para la clase. Y ¡buen apetito!

17
La emigración sigue

Viajo en tercera clase en un tren que va de España a Francia. Veo hombres de caras tristes y trajes con años de uso. Veo pocos niños y mujeres. Las manos de los hombres son duras y de color oscuro. Hablan español con acento de las provincias de Andalucía y Galicia.

Me hago amigo de Pedro, un fuerte campesino de la provincia de Andalucía, quien me presenta a sus compañeros. Todos ellos son emigrantes que van a Francia. Algunos saben adonde van a trabajar. Otros no saben adónde van a dormir la próxima noche. Pero todos esperan tener mejor vida. Son muchos. Veo tres vagones° del tren llenos. Todos los años, todos los meses, todos los días salen españoles para el extranjero°. Tres millones y medio cada año.

vagones
cualquier otro país fuera de la patria

—¿Cuándo piensas regresar? —le pregunto a Pedro.

—No sé cuándo. Pero regresaré con dinero suficiente para una casa o un apartamento. No quiero seguir sufriendo° en España por no tener dinero.

llevando muchos problemas

—Y tu familia, Pedro, ¿no sufre?

—Sí, por unos meses. He dejado mujer, tierra, amigos e hijos, pero pienso mandarles dinero y luego no sufrirán más.

—¿Por qué no trabajas en España?

95

—En España no hay mucho trabajo. Por eso el gobierno español hizo contratos de emigración con Francia, Suiza°, Alemania°, Suecia°, Holanda y Austria. Estos países necesitan trabajadores para sus industrias.

capital: Berna / capital: Bonn / capital: Estocolmo

—Yo sé, Pedro, que después de las dos guerras mundiales los españoles no conocían países adónde podían ir a trabajar. Muchos países tenían cuotas para recibir emigrantes.

—Sí, yo lo sé también. Además, el gobierno español no dejaba salir a los emigrantes. Ahora nuestra emigración aumenta°. Aparte del turismo, la emigración es lo mejor de la economía española. Los emigrantes envían a España cada año más de $135 millón. Yo también voy a mandar mucho dinero a mi familia en España.

se hace más grande

El tren corre rápidamente. Pasamos la frontera° y estamos ya en Francia. Yo pienso: "pobres naciones de los países mediterráneos. España, Italia, Grecia, Portugal y Turquía son ahora los proletarios de la sociedad europea. Las demás naciones tienen un alto nivel° de vida, muchos técnicos y pocos trabajadores sin especialización. Necesitan ahora trabajadores no cualificados. Éstos son los emigrantes." El tren llega a la ciudad de Niza, en Francia, y tengo que despedirme de mis amigos.

línea que divide dos países

grado

En Francia estudio los problemas de mis compatriotas°, los emigrantes españoles. El problema más grande es la dificultad de adaptación del emigrante en un país extranjero. Ellos sólo quieren trabajar, trabajar, todas las horas posibles del día para ganar dinero. A ellos no les importa mejorarse profesionalmente. En Bordeaux hablo con un trabajador español residente en Francia.

personas de la misma nación

—Hola, Felipe. ¿Eres español?

—Sí, señor, soy de Orense.

—Y, ¿qué haces aquí en Francia?

—Pues, trabajar lo más posible.

—Y, ¿para qué trabajas?

—Pues, para vivir.

—Pero, ¿no te diviertes con tus amigos?

—No, hombre, aquí no tengo amigos. No voy al cine porque no sé hablar francés, ni tengo vida social. Quiero volver pronto a España.

Los emigrantes no son parte de la vida social. En
Alemania y en Francia trabajan en las industrias de la
construcción o en el campo. La sociedad los quiere sólo
para el trabajo, no para amigos. Por eso se vuelven
pesimistas y desean regresar a España.

En Europa hay 1.228.000 emigrantes españoles y
2.412.000 en América. La emigración en España es un
problema que por ahora no tiene solución.

¿Dónde Viven los Emigrantes Españoles?

ULTRAMAR°		EUROPA	
la Argentina	1.500.000	Francia	850.000
el Brasil	350.000	Alemania	160.000
Venezuela	225.000	Suiza	80.000
Cuba	100.000	Bélgica	66.000
México	70.000	Inglaterra	30.000
Chile	47.000	Holanda	18.000
los Estados Unidos	42.000	Noruega	8.000
Colombia	31.000	Portugal	8.000
el Canadá	16.000	Suecia	5.000
Australia	10.000	Luxemburgo	2.200
el Perú	5.000	Austria	400
		Dinamarca	400

al otro lado
del mar

Adaptación de un artículo de *Meridiano* (Barcelona)

[647 palabras]

Ejercicios

SINÓNIMOS

Dé otra(s) palabra(s) con el mismo significado.

¿Cuándo piensas *regresar*? → ¿Cuándo piensas *volver*?

1. Los emigrantes *mandan* mucho dinero a sus familias en España.
2. Pedro me presenta a sus *amigos*.
3. Los hombres llevan trajes *muy viejos*.
4. No quieren *continuar* sufriendo por no tener dinero.
5. Tengo que *decirles adiós a* mis amigos.
6. Los españoles, italianos y portugueses son los *trabajadores sin especialización* de la sociedad europea.
7. Las *otras* naciones tienen un nivel de vida más alto.
8. Muchos españoles trabajan en *otros países*.
9. Unos viajan hasta *el otro lado del mar*.

99

ESTRUCTURAS

A

No tiene dinero. Por eso sigue sufriendo. → Por no tener dinero sigue sufriendo.

1. No obtienen trabajo en España. Por eso salen del país.
2. No ganan bastante dinero. Por eso trabajan horas extraordinarias.
3. No tienen vida social en el extranjero. Por eso se vuelven pesimistas.
4. No hacen amigos en el extranjero. Por eso desean regresar a España.
5. No aprenden la lengua extranjera. Por eso no se adaptan al nuevo país.

B

¿Cuándo regresarás? → ¿Cuándo piensas regresar?

1. ¿Dónde trabajarás?
2. ¿Qué harán?
3. ¿Dónde dormirá?
4. ¿Qué dirás?
5. ¿Cuándo volverán a España?
6. ¿Adónde irás?

C

La industria no paga más a los buenos trabajadores. → A los buenos trabajadores la industria no les paga más.

1. Francia no ofrece vida social a los emigrantes.
2. Suecia paga bien a los trabajadores extranjeros.
3. Alemania da trabajo a los trabajadores no cualificados.
4. El campesino explica la situación del campo al emigrante.
5. El periodista ofrece su opinión a los lectores franceses.
6. El emigrante repite sus planes para regresar a España a su compañero.

PREGUNTAS

1. ¿Adónde van los emigrantes españoles en busca de trabajo?
2. ¿De cuáles regiones vienen estos trabajadores? ¿Cómo puede saberlo?
3. ¿Cuántos vagones del tren llenos ve el autor?
4. ¿Qué había dejado Pedro en su pueblecito?
5. ¿Cómo le parece a usted la vida de las mujeres que quedan en España?
6. Para los trabajadores no cualificados, ¿es fácil o difícil encontrar empleo en España?
7. ¿Por qué salen muchos españoles cada año para el extranjero?

8. ¿Por qué dice el autor que España, Italia, Grecia, Portugal y Turquía son ahora los proletarios de la sociedad europea?
9. ¿Cuál es el problema más grande de los emigrantes españoles?
10. ¿Por qué se vuelven pesimistas y desean regresar a España los emigrantes?

ENTREVISTA

El profesor selecciona tres o cuatro estudiantes que desempeñarán el papel de "emigrantes españoles" que trabajan en los Estados Unidos. Les deja algunos minutos para construir su personaje. Los demás estudiantes son "periodistas". Interrogan a los emigrantes sobre su vida en España comparada a la que tienen en los Estados Unidos: el trabajo, el salario, la familia, los amigos, las diversiones, etc. Por fin, cada estudiante escribe un "artículo" de una página sobre uno de los emigrantes.

PUNTOS DE VISTA

Discuta en forma oral o escrita.

1. Si los jóvenes españoles tienen que emigrar, ¿qué importa? Así pueden viajar y ver otros países.
2. Los norteamericanos no emigran mucho porque no les gusta hablar lenguas extranjeras.
3. ¿Debería los Estados Unidos aceptar todas las personas que quieren venir como emigrantes? Si no todas, ¿cuáles?

18
Ruletas, ¿sí o no?

Señor director:

Le agradezco la publicación de mi carta precedente en el número 471 de la revista de su digna dirección. Y abusando de su bondad, le pido publicar también estas líneas que tratan del mismo tema.

El tiempo pasa y nada se decide acerca del establecimiento de ruletas en Córdoba.

La oposición afirma que Córdoba tiene bastante con sus bellezas naturales y que no necesita el juego para atraer al turista. Pues, ¿qué deberíamos decir de Mar del Plata°, con sus playas, su clima, la pesca, deportes náuticos, sus parques, avenidas suntuosas y monumentales construcciones?

Mar... ciudad donde hay un casino muy grande

Produce alarma que el jugador pueda perder su dinero en Córdoba y precisamente en la ruleta. Pero no los alarma esa misma pérdida en Mar del Plata, Río Hondo, Mendoza o en otros lugares. Para esos enemigos de la ruleta, tampoco es malo que en la misma ciudad de Córdoba un ciudadano puede perder su sueldo°, como ocurre con frecuencia, jugando a los caballos, al póker o a cualquier otro juego permitido.

paga, salario

¿Cómo es que esos opositores no se han organizado ya para pedir la clausura° de los hipódromos? ¿Por qué no le piden al gobierno, ya que tanto les preocupa la protección de los hogares°, la eliminación de todas las casas de juego?

el cierre (del verbo **cerrar**)

familias

Si admitimos que nunca podrá erradicarse el juego, que el juego le procura importantes recursos° al estado provincial y nacional y que Córdoba necesita la atracción de la ruleta para incrementar el número de turistas, su instalación no debe retardarse más.

ingresos, dinero que recibe el gobierno

Carlos A. Braconi Capuano

Córdoba

Adaptación de una carta al director de la revista *Análisis* (Buenos Aires)

[263 palabras]

Ejercicios

VOCABULARIO

Trate de llenar los espacios, de memoria, con palabras que han aparecido en el texto.

1. Expresar su gratitud es _____.
2. La carta que llegó antes era la carta _____.
3. Hacer mal uso de una cosa es _____ de ella.
4. Esas avenidas son monumentales construcciones y de mucho lujo; son avenidas _____.
5. La paga que recibe un trabajador es su _____.

FAMILIA DE PALABRAS

Siga el modelo.

jugar → jugador → juego

1. trabajar
2. luchar
3. pescar
4. boxear
5. perder

ESTRUCTURA

Complete las oraciones siguientes con la preposición correcta.

Estas líneas tratan _____ el mismo tema. → Estas líneas tratan del mismo tema.

1. Y abusando _____ su bondad le pido publicar mi carta.
2. Nada se decide _____ del establecimiento de ruletas.
3. Jugando _____ los caballos uno pierde dinero.
4. No se han organizado _____ pedir la clausura de los hipódromos.
5. Córdoba necesita la atracción _____ la ruleta.
6. Se debe incrementar para atraer _____ los turistas.
7. ¿Qué podemos decir _____ Mar del Plata?

PREGUNTAS

1. ¿Cuántas cartas ha escrito el señor Braconi al director de la revista?
2. ¿Por qué no se decide nada acerca del establecimiento de ruletas en Córdoba?
3. ¿Por qué no produce la misma alarma la pérdida de dinero en Mar del Plata que en Córdoba?
4. De acuerdo con el señor Braconi, ¿qué deberían pedir al gobierno los opositores de la ruleta?
5. Para proteger los hogares, ¿qué debería eliminarse, según los opositores del juego?
6. ¿Qué le procura el juego al estado provincial y nacional?
7. ¿Por qué no debe retardarse más la instalación de ruletas?

CARTA

Escriba una carta breve (dos o tres oraciones) para agradecer a alguien por algo. Use las formas de cortesía que se encuentran al principio de la carta del señor Braconi.

PUNTOS DE VISTA

Discuta en forma oral o escrita.

1. ¿Debe el estado obtener beneficios de los juegos? ¿Deben los juegos recibir ayuda del estado?
2. ¿Cuáles juegos deben considerarse ilegales? ¿Por qué la ruleta sí y los caballos no?
3. ¿Ofrecen más atracción al turista los recursos naturales o los lugares suntuosos de juego?

Palacio de Bellas Artes

19

El hundimiento°

el bajar de la tierra

de la ciudad de México

En 1910, la Columna de la Independencia fue construida casi al nivel del suelo. Ahora para llegar a esta columna hay que ascender por una escalera de cemento.

No muy lejos de allí existe el contraste: para llegar al Palacio de Bellas Artes también se necesitan escaleras —pero esta vez para descender.

Es decir que las grandes construcciones de la ciudad de México tienen que luchar con las débiles características del subsuelo. Para construir el metro°, por ejemplo,

tren subterráneo

se hicieron muchas excavaciones. Se descubrió que el subsuelo de la ciudad de México está compuesto del 85 por ciento de agua.

Una ciudad en desarrollo° necesita un gran consumo de agua. Desde hace muchos años la forma más fácil de obtener el agua era extraerla del subsuelo. Así, el crecimiento de la ciudad y la constante necesidad de agua precipitaron el hundimiento de algunas zonas de la ciudad.

 en... que crece y se mejora

Por eso, la construcción en el Distrito Federal se ha convertido en una actividad especializada, lo mismo para los técnicos en mecánica de suelos que para ingenieros y arquitectos. Y han encontrado soluciones útiles. El mejor ejemplo es la magnífica estructura del Palacio de los Deportes, construido para los Juegos Olímpicos. Este enorme edificio, con su cúpula de cobre°, fue construido en una zona donde el suelo era casi completamente líquido. Y hoy se levanta como un gran triunfo para la ingeniería mexicana.

metal de color rojo

El metro de la ciudad de México

Palacio de los Deportes

Ahora, con las medidas que se están tomando, se conseguirá evitar casi completamente el hundimiento de la ciudad por el resto del siglo.

Adaptación de un artículo de *Mañana* (México)

[259 palabras]

Ejercicios

VOCABULARIO

Halle la(s) palabra(s) apropiada(s) en el texto.

1. Una serie de niveles para ascender y descender a pie es _____.
2. Lo contrario de fuerte es _____.
3. La parte de la tierra que está debajo del suelo es _____.
4. Un sistema rápido de transportación es _____.
5. Una ciudad que crece y mejora su posición económica está en _____.
6. Sacar es _____.
7. Una acción o un efecto de llegar a ser más grande es _____.
8. Producir rápidamente es _____ un efecto.
9. Un hombre cuya profesión es el diseño de edificios es _____.
10. Un techo rotundo es _____.

11. Una victoria es _____.
12. La ciencia técnica de la construcción, de la mecánica, o de la electricidad es

_____.

ESTRUCTURAS

A

Con estas medidas *se obtendrá* evitar el hundimiento de la ciudad. → Con estas medidas *se conseguirá* evitar el hundimiento de la ciudad.

1. La forma más fácil de *obtener* el agua era extraerla del subsuelo.
2. Los ingenieros y arquitectos *han obtenido* soluciones útiles.
3. La ingeniería mexicana *obtuvo* un gran triunfo con este enorme edificio.
4. *Se obtuvo* un mejor conocimiento del subsuelo con las excavaciones del terreno.
5. Con el avance de la construcción en el Distrito Federal, los técnicos en mecánica de suelos *obtendrán* una actividad especializada.

B

ESTUDIANTE A: **Los ingenieros evitaron el hundimiento, ¿verdad?**
ESTUDIANTE B: **Sí, se evitó el hundimiento.**

1. Los expertos descubrieron mucha agua en el subsuelo, ¿verdad?
2. Los técnicos hicieron muchas excavaciones, ¿verdad?
3. Los turistas necesitan escaleras para llegar a la Columna, ¿verdad?
4. Los arquitectos construirán un edificio espléndido, ¿verdad?
5. Las circunstancias han precipitado el desarrollo de esa actividad especializada, ¿verdad?

PREGUNTAS

1. ¿En qué ciudad está la Columna de la Independencia?
2. ¿Cuándo fue construida?
3. ¿Cómo es el subsuelo de la ciudad?
4. ¿De dónde viene el agua de la ciudad?
5. ¿Desde cuándo se hace eso?
6. ¿Qué ha precipitado el hundimiento de algunas zonas?
7. ¿Qué efecto tiene esta situación en la construcción en el Distrito Federal?
8. ¿Qué clases de profesiones buscan soluciones al problema?
9. ¿Qué triunfo se le acredita a la ingeniería mexicana a causa de los Juegos Olímpicos?
10. ¿Qué tratarán de evitar los ingenieros?

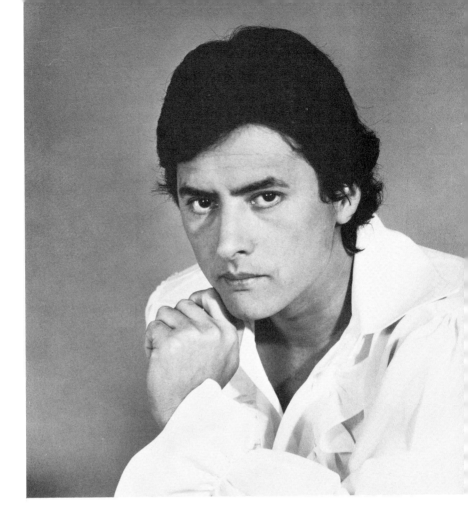

20
"El Rey"

Palito Ortega, ídolo de la canción en América, ha
realizado una visita triunfal a España. En Hispano-
américa suelen° llamarle "el Rey". Un periodista, al   ° tienen la costumbre de
llegar a su hotel para una entrevista, encuentra a Ortega
en su cama.

Palito Ortega, nacido Ramón Bautista Ortega, está acostado, enfermo. Tiene casi cuarenta grados° de fiebre. Por esta causa no pudo presentarse en una sala de fiestas madrileña y tuvo que grabar° un disco rápidamente para TVE.

Sobre la cama un tocadiscos, revistas...

¿Es hora de confidencias?

—Palito, ¿qué es lo que más aprecias en este mundo?

—Todas las cosas bellas, la bondad, el espíritu de sacrificio, la pobreza cuando se sabe sobrellevar°, la riqueza cuando no se hace ostentación de ella.

—¿Cómo fue tu niñez?

—Pasó entre la necesidad y el desengaño°. Mi padre, electricista en Tucumán, tenía que trabajar demasiado para sobrellevar la carga° de esposa y cinco hijos.

—¿Es cierto° que te escapaste de tu casa?

—Sí. Fue una noche en que el insomnio elabora planes. Yo tenía quince años y una esperanza grande de triunfar. Sabía que si me quedaba, iba a terminar como mi padre: trabajando mucho y ganando menos de lo indispensable.

Palito Ortega sonríe, se mueve en la cama y ajusta la almohada° para estar más cómodo.

almohada

—Fueron tiempos muy malos aquéllos —prosigue—. Tuve hambre, trabajé en distintos empleos. Fui lavaplatos, vendí café en un estudio de televisión y vi pasar a las figuras conocidas.

—Soñabas con llegar a lo que hoy eres...

—Siempre he sido soñador y en el húmedo sótano° donde vivía, tenía tiempo para temblar de frío y soñar.

—¿Cómo te imaginabas?

cuarenta... 40° centígrado = 104° Fahrenheit

grabar° hacer

sobrellevar° aceptar la situación con resignación y tranquilidad

desengaño° desilusión

carga° responsabilidad

¿Es...° ¿Es verdad?

sótano° parte subterránea de una casa

—Sonriente. Porque sonreír para mi quería decir no tener hambre, triunfar, ser ídolo.

—¿Cómo eres, Ramón?

—Un luchador; nunca me siento vencido y sé esperar.

—¿Has cambiado, Palito?

—Creo que no. Soy el mismo hombre que salió con unos pocos pesos de Tucumán. Ni los coches, ni las mansiones, ni la fortuna han logrado hacerme arrogante o vanidoso.

Pone en el tocadiscos uno de sus éxitos. Sonríe como acordándose de los trabajos pasados. En una cama de un hotel madrileño, con fiebre y ganas° de trabajar se   deseos
queda Palito Ortega.

Adaptación de una entrevista de *Mundo Hispánico* (Madrid)

[353 palabras]

Ejercicios

DEFINICIONES

Una conversación con un periodista es *una entrevista*.

1. Una persona muy estimada por el público y muy popular es _____.
2. Estar en la cama es estar _____.
3. Un habitante de Madrid es _____.
4. La calidad de ser bueno es _____.
5. La condición de no tener dinero es _____.
6. El período cuando uno es niño es _____.
7. La desilusión es _____.
8. Agitarse con movimiento frecuente y rápido es _____.
9. Sentirse dominado es sentirse _____.
10. Conseguir u obtener es _____.

ESTRUCTURAS

A

Si me quedaba, iba a terminar como mi padre. → Si me quedo, terminaré como mi padre.

1. Si no me escapaba, iba a trabajar demasiado toda la vida.
2. Si no podía presentarse, iba a grabar rápidamente un disco para TVE.
3. Si no ganaba bastante dinero, ni iba a sobrellevar la carga de mujer e hijos.
4. Si no trabajábamos, íbamos a tener hambre.
5. Si no tenías esperanzas, no ibas a realizar nunca tus sueños.
6. Si no había dificultades, no se iban a formar el ánimo y el espíritu.

B

Las figuras conocidas pasaban. Yo las vi. → Vi pasar a las figuras conocidas.

1. Palito Ortega grababa un disco. Yo lo vi.
2. Los niños temblaban. Los vimos.
3. El muchacho sonrió. Él lo vio.
4. Nuestro padre trabajaba demasiado. Lo vimos.
5. El ídolo se presentó en una sala de fiestas madrileña. Los niños lo vieron.

C

Aquellos tiempos fueron muy malos. → Fueron tiempos muy malos aquéllos.

1. Aquellos discos fueron muy malos.
2. Aquellos ídolos son muy adorados.
3. Aquellas entrevistas fueron muy interesantes.
4. Aquellas esperanzas son muy grandes.
5. Aquellos hombres son muy arrogantes.
6. Aquellas figuras son muy conocidas.

PREGUNTAS

1. ¿Quién es Palito Ortega?
2. ¿Es esta entrevista para una revista o para un periódico?
3. ¿Dónde está Palito en el momento de la entrevista?
4. ¿Por qué no pudo presentarse en una sala de fiestas madrileña?
5. ¿Cómo se divierte?
6. ¿Siempre ha sido rico Ortega?
7. ¿Cómo era su familia?
8. ¿Cómo era su niñez?
9. ¿Qué hacía su padre para vivir?

10. ¿Por qué se escapó Palito de la casa?
11. ¿Qué hizo para ganarse la vida?
12. ¿Con qué soñaba durante su período difícil?
13. ¿Cree él que ha cambiado?
14. ¿Qué es lo que más aprecia ahora?

PUNTOS DE VISTA

Discuta en forma oral o escrita.

La vida de un ídolo como Palito Ortega parece muy agradable pero no lo es en realidad.

ENTREVISTAS

1. *Escoja un personaje muy conocido e imagine una entrevista que usted haría con él.*
2. *Unos estudiantes se dejan interrogar por los demás sobre su propia vida, sus experiencias, etc. Hay dos reglas importantes: el interrogado puede rehusar responder a ciertas preguntas... o si responde, puede insistir en que el interrogador responda a la misma pregunta.*

PROYECTOS INDIVIDUALES

Este artículo ofrece la ocasión de familiarizarse con la música popular hispanoamericana. Se puede llevar discos a la clase, tocar, cantar, etc.

TERCER NIVEL

21
Los héroes olvidados

PERÚ

BOLIVIA

OCÉANO PACÍFICO

Valparaíso
Santiago de Chile

CHILE

CORDILLERA DE LOS ANDES

ARGENTINA

Estrecho de
Magallanes

TIERRA DEL
FUEGO

0   200
Kilómetros

faro

Los que mantienen vivos los 826 faros° y señales lumi-
nosas de Chile son una raza especial: los fareros. Son
hombres que voluntariamente han pedido el exilio.
Pueden ser viejos o jóvenes, casados o solteros. Lo que
tienen todos, además de sus estudios navales, es el
gusto por la soledad.

En cada lugar hay entre cuatro y seis fareros;
mantienen en buen estado el faro, hacen observaciones
meteorológicas… y juegan *ping-pong*. Caminan alrededor del faro, y entre las visitas de los barcos que cada
tres o cuatro meses llevan provisiones, conversan con
las gaviotas°. Poca gente puede competir con ellos en el

gaviota

arte de los crucigramas°. Viviendo en regiones desiertas donde la velocidad de los vientos es tal que a veces se llevan alguna oveja, la vida de estos cuidadores de faros es una auténtica aventura.

Muchas veces junto a estos héroes hay heroínas, las mujeres de los fareros. Y para evitar complicaciones, los fareros se agrupan en solteros y casados. Las esposas llevan consigo a los niños chicos y hacen lo mismo que cualquier otra mujer. Lo distinto es el espacio físico, bastante más reducido, y la vida social, también muy reducida. No hay tiendas llenas de tentaciones, y los gastos de peluquería° se reducen apreciablemente.

peluquería

Gracias a los faros, Chile tiene un nuevo record mundial. Tenemos el faro de más difícil acceso del mundo: Los Evangelistas, construido sobre un precipicio a sesenta metros° sobre el nivel del mar.

sesenta... casi 200 pies

Adaptación de un artículo de *Ercilla* (Santiago de Chile)

[240 palabras]

Ejercicios

DEFINICIONES

Una señal luminosa para dirigir los navegantes: *faro.*

1. Condición: Los fareros mantienen en buen _____ el faro.
2. Que pertenece al tiempo: Los fareros hacen observaciones _____.
3. Vehículo para navegar sobre el agua: Una lancha es un tipo de _____.

4. Un juego que consiste en formar palabras cruzando letras: En las revistas y diarios hay _____.
5. Cerca de: Las mujeres prefieren vivir _____ sus maridos.
6. Casa en la cual se venden varias cosas: _____.

FAMILIA DE PALABRAS

Dé el sustantivo que corresponde a cada uno de los adjetivos siguientes.

solo → la soledad

1. especial
2. voluntario
3. veloz
4. social
5. útil

ESTRUCTURAS

A

Llevo conmigo a mis niños. ¿Y los fareros? → También los fareros llevan consigo a sus niños.

1. ¿Y las mujeres?
2. ¿Y este señor?
3. ¿Y nosotros?
4. ¿Y las familias numerosas?
5. ¿Y los demás fareros?

B

La profesión de farero es más solitaria que todas las otras profesiones. → La profesión de farero es más solitaria que cualquier otra profesión.

1. El farero tiene más talento en el arte de los crucigramas que todos los otros hombres.
2. La vida social de los fareros es más reducida que la de otras familias.
3. Las esposas de los fareros hacen lo mismo que todas las otras mujeres.
4. Las esposas de los fareros tienen menos tentaciones que todas las otras mujeres.
5. Los héroes olvidados de Chile trabajan en faros más peligrosos que todos los otros faros.

PREGUNTAS

1. ¿En qué consiste el trabajo de los fareros?
2. ¿Qué prefieren todos los fareros?
3. ¿Por qué se dice que los fareros de Chile son una "raza especial"?
4. ¿Cuántos fareros se necesitan para mantener vivo un faro?
5. ¿Cómo se divierten los fareros cuando no se ocupan del faro?
6. ¿En cuál juego son expertos?
7. ¿Cómo sabemos que a veces hace mucho viento alrededor de los faros?
8. ¿De qué se ocupan las mujeres en los faros?
9. ¿Cómo es distinta la vida en los faros de la vida normal?
10. ¿Qué es el nuevo record mundial que tiene Chile?

PUNTOS DE VISTA

Discuta en forma oral o escrita.

1. Los fareros viven en una sociedad donde no hay tiendas ni supermercados ni cines. ¿Cree usted que una persona que prefiere una vida tan solitaria sea necesariamente excéntrica?
2. Muchas personas se quejan de que hoy día se pierde la individualidad en el mundo tecnológico. Estas personas buscan un mundo que no sea tan tumultuoso, una vida sencilla, natural y tranquila, como la del farero. ¿Cuál es su preferencia personal?

22

¿Por qué huyen° salen; escapan
los adolescentes de sus casas?

Si uno habla con los estudiantes en la Universidad de
Barcelona, ve que hay una idea que muchos tienen en
común: quieren escaparse de sus casas. Las razones son
muchas. Dice uno: "Mis padres no me entienden".
Otro: "No tienen la menor idea de lo que me gusta".
Otro: "Es absurdo decir que estamos unidos y que nos
queremos. Me escaparé este mismo verano".

Casi cada día en los periódicos de Madrid o Barcelona se pueden leer artículos como éste: "Ha desaparecido° de la casa de sus padres el chico de deiciséis años, X. Y. Lleva pantalones y suéter azules, y es alto y robusto. Si puede identificar al muchacho por esta foto, llame por teléfono a sus padres".

salido sin dar razones

En el pasado, esto ocurría poco, y además era siempre en serio°. El adolescente iba a otro país, a otra ciudad, se hacía un hombre, y cuando tenía una posición, una mujer, y a veces unos hijos, volvía a la casa de sus padres feliz de haber realizado estas cosas "por sus propios medios".

en... de carácter grave; sin frivolidad

Pero ahora hay una diferencia fundamental. Hoy día°, los adolescentes no quieren escaparse a otro país ni a otra ciudad. El objetivo es vivir en la misma ciudad de sus padres, pero en otro apartamento. El año pasado la mayoría de los jóvenes alemanes que entraron en la Universidad de Berlín tenían su residencia aparte de sus padres, aunque en la misma ciudad.

Hoy... hoy

Antes, los muchachos que huían eran de familias pobres y huían porque no tenían en casa las cosas necesarias. Pero ahora los que huyen son de familias burguesas donde tienen todo lo necesario y más.

Entonces, ¿por qué huyen?

No podemos aceptar la explicación de que quieren hacer fortuna por sus propios medios. No tienen el menor interés en la sociedad materialista. Dice uno: "No entiendo como uno tiene la capacidad de escoger voluntariamente la sociedad opulenta".

Entre estos muchachos, apenas hay el sentido de responsabilidad. Y los objetivos tampoco están nada claros. Están claros los medios —la huída°, la independencia, la vida sincera— y están claras las causas —el desengaño por la hipocresía de la vida opulenta. Pero no están claros los objetivos.

el acto de huir

¿Qué conclusiones podemos formar de esta situación? Hay que tomar en consideración unas características generales de los *teen-agers* de hoy y unas implicaciones de su filosofía.

En España existen más de tres millones de personas que están en la categoría de *teen-agers*. Podemos fijar el límite de *teen* entre los trece y los dieciséis años. Es durante estos años que las personas empiezan a darse cuenta de que existen como una parte integral de la sociedad. Y si no cree usted que son una parte integral, dé usted una vuelta° por cualquier ciudad española   **dé...** pasee
cualquier domingo por la tarde, y verá que las calles están casi completamente llenas de su presencia. Sus características más evidentes son el multicolor de su vestido, su vitalidad y el ruido de sus voces altas. Además, los *teen* no van nunca solos, sino en grupo. Cuando uno de ellos sale del grupo, pierde la mitad de estas características y pasa a ser un adolescente normal que podría ser igualmente de este siglo o del pasado. Porque el factor del tiempo es muy importante en el

análisis de esta situación. Hablamos de gente que no sólo se encuentra en una edad de transición, sino en una época de transición. Además de las características que tienen en común con los adolescentes de todos los tiempos, tienen los *teen-agers* de hoy un sentido ideológico que no tenían los de otras épocas. Los adolescentes de hoy dicen que van a vivir sin el conformismo y la monotonía de una sociedad basada en la opulencia material, y que van a seguir una filosofía de espontaneidad y creatividad. Pero hay una nota falsa en su esquema°, y esto es el mito° de la sinceridad. En nombre de la sinceridad, muchas veces los *teen* se olvidan de la conciencia tradicional para hacer una moralidad propia. Y esto puede ser crítico porque en la mayoría de los casos, esta pretensión de sinceridad rompe los límites que existen entre lo bueno y lo malo.

plan / cuento fabricado, que no es la verdad

Adaptación de un artículo de *Meridiano* (Barcelona)

[680 palabras]

Ejercicios

DEFINICIONES

Lo que es extremadamente importante es *serio.*

1. Hacer verdadera o efectiva una cosa es _____ la cosa.
2. Una moralidad _____ es una moralidad que pertenece a una persona, no a un grupo.
3. Uno que realiza una cosa sin ayuda lo hace por sus _____.
4. Una vida lujosa es _____.
5. El contrario de "en broma" es _____.
6. Vamos a _____ quiere decir que vamos a pasearnos, a caminar.
7. El contrario de aparecer es _____.

ESTRUCTURAS

A

Responda negativamente a las preguntas siguientes.

¿Están claros los objetivos? → **No, los objetivos no están nada claros.**

1. ¿Está clara la historia?
2. ¿Están claros los medios?
3. ¿Están claras las causas?
4. ¿Están claras las razones?
5. ¿Están claros los sentidos?
6. ¿Están claros los límites de la categoría *teen*?
7. ¿Están claras las características de los *teen*?
8. ¿Está claro el análisis?

B

Algunos desaparecen. Muchos vuelven a la casa de sus padres. → **De los que desaparecen, muchos vuelven a la casa de sus padres.**

1. Ellos quieren una vida más sincera. Pocos realizan su ideal.
2. Pocos escapan de la policía. La mayoría tiene al menos dieciséis años.
3. Muchos huyen. El 95 por ciento son encontrados por la policía.
4. Casi todos están desilusionados con la filosofía de sus padres. Muchos quieren escaparse de una sociedad opulenta.
5. Casi todos se olvidan de la conciencia tradicional. Algunos se hacen una moralidad propia.

C

La mayoría de los que huyen no son criminales. La policía *lo sabe.* → **La policía** *se da cuenta de que* **la mayoría de los que huyen no son criminales.**

1. La sociedad opulenta no es nada sincera. Los adolescentes lo saben.
2. Existen como una parte de la sociedad actual. Los adolescentes empiezan a comprenderlo.
3. Los muchachos de dieciocho años quieren dejar su casa familiar. Los padres lo comprenden.
4. Serán descubiertos y forzados a regresar a casa. Antes de huir la mayoría de los escapados lo saben.
5. Terminarán probablemente como sus padres. Muchos de los que huyen lo saben.

PREGUNTAS

1. ¿Qué ideas tienen en común muchos estudiantes españoles?
2. ¿Qué razones dan para esto?
3. En el pasado, ¿cuál era el principal motivo que tenían los adolescentes para juir?
4. ¿Qué diferencia hay entre los adolescentes que huían antes y los de hoy día?
5. ¿Qué edad tienen los que huyen?
6. ¿Son la mayoría de ellos de familias pobres como en el pasado?
7. ¿Por qué huyen?
8. ¿Cuáles son los medios?
9. ¿Cuáles son sus objetivos?
10. ¿Cuántos adolescentes (*teen-agers*) hay en España?
11. ¿De qué se dan cuenta entre los trece y los dieciséis años de edad?
12. ¿Cuáles son sus características cuando están en grupos?
13. ¿Por qué es el tiempo un factor importante en el análisis de esta situación?
14. ¿Qué ideología tienen los adolescentes de hoy día?
15. ¿Qué clase de filosofía intentan seguir?
16. Según el artículo, ¿cuál es la nota falsa en este plan?

SITUACIONES

1. Presente en forma oral o escrita las situaciones siguientes:
   a. Un adolescente explica a su amigo(a) sus proyectos de huída.
   b. La policía ha hallado a un(a) escapado(a). Un policía llama por teléfono a sus padres, les dice que tiene a su hijo(a), explica como le (la) ha hallado y luego le pasa el teléfono al (a la) chico(a).
2. Escriba una carta a sus padres para explicarles por qué usted ha huido y bajo cuales condiciones regresaría.

23
Una chicana

Hace cuatro años Rosa Isela Mendoza trabajaba bajo el sol caliente de Texas recogiendo zanahorias° a veinte centavos la hora. Ella había tenido que abandonar la escuela donde estudiaba el octavo grado porque sus padres no tenían recursos° para comprarle zapatos y vestidos con que asistir a la escuela.

zanahorias

dinero

Rosa Isela apenas hablaba inglés y tenía muy pocas esperanzas de que jamás podría abandonar el campo donde ella y otros diez miembros de su familia ganaban su vida labrando° la tierra.

trabajando

Sin embargo, este año, Rosa Isela Mendoza se vio de pronto parada° sobre una caja de madera detrás de un atril° durante un banquete en el Hotel Sheraton-Park en Washington. La caja había sido colocada° allí para que Rosa, que mide cuatro pies y diez pulgadas de estatura° y un peso de noventa y seis libras, pudiera ser vista por los asistentes al acto en el que el Secretario del Trabajo le hizo entrega de una Placa de Honor al ser instalada en el Salón de la Fama de los Cuerpos de Trabajo.

en pie

atril

puesta

que... estatura

Rosa fue seleccionada entre 500 mil jóvenes entrenados por los Cuerpos de Trabajo durante los últimos diez años. "Los Cuerpos de Trabajo", dijo Rosa, "me han dado una oportunidad de que hay un peldaño° en nuestras aspiraciones que yo puedo alcanzar y también de poder servir a mi país de adopción."

peldaño

Rosa ha servido a su país de adopción como una especialista de finanzas en la base de la Fuerza Aérea en Nellis, Nevada durante dos años.

Ella nació hace veintitrés años en la ciudad de Bynosa, en el estado mexicano de Temaulipas. En 1966 ella y su familia emigraron a Pharr, Texas, donde ella asistió a la escuela para aprender inglés. En 1971 fue enviada a McKinney Job Corps Center en McKinney, Texas. Un año después, ella se graduó de la escuela superior e ingresó en el Programa de Entrenamiento de Enfermeras en Los Angeles.

Actualmente no intenta seguir su carrera como una experta en finanzas. Ella está asistiendo a la Universidad de Las Vegas con la esperanza de que vendrá el día en que ella sea enfermera en la Fuerza Aérea y pueda ayudar a otras personas.

"Quiero ayudar a mis hermanos mexicanos-americanos para demostrar que si ellos se lo proponen, pueden abandonar el campo. Todo lo que necesita", afirma Rosa, "es una aspiración en superarse y la voluntad para alcanzar el objetivo... paso a paso."

Adaptación de un artículo de _El Diario-La Prensa_ (Nueva York)

[408 palabras]

Ejercicios

VOCABULARIO

Trate de llenar los espacios, de memoria, con palabras que han aparecido en el texto.

Este año, Rosa Isela Mendoza se vio de pronto _____ sobre una caja de _____ detrás de un _____ durante un banquete en el Hotel Sheraton-Park en Washington. La caja había sido _____ allí para que Rosa, que mide cuatro _____ y diez _____ de estatura y un peso de noventa y seis _____, pudiera ser vista por los asistentes al acto en el que el Secretario del Trabajo le hizo _____ de una Placa de Honor.

ESTRUCTURAS

A

Trabajaba bajo el sol. *Recogía* zanahorias. → Trabajaba bajo el sol *recogiendo* zanahorias.

1. Su familia ganaba su vida. *Labraba* la tierra.
2. Rosa se encontraba en un gran hotel. *Hacía* un discurso.

3. Estaba en frente del Secretario del Trabajo. *Recibía* una Placa de Honor.

4. Servía su país de adopción. *Trabajaba* en una base de la Fuerza Aérea.

5. Preparaba su nueva carrera. *Asistía* a una escuela de enfermeras.

6. Quería ayudar a otros mexicanos-americanos. *Demostraba* que es posible abandonar el campo.

B

¿Es Rosa demasiado pequeña para ser vista? *Lo temo.* → *Temo que* **Rosa sea demasiado pequeña para ser vista.**

1. ¿Está ella un poco enferma? Lo temo.
2. ¿Es ella una buena enfermera? Lo espero.
3. ¿Alcanza su objetivo? Lo espero.
4. ¿Ha abandonado la escuela? Lo siento.
5. ¿Todavía no ha terminado sus estudios? Lo siento.

C

¿Hablaba bien el inglés? → **No, apenas hablaba inglés.**

1. ¿Ganaba su familia suficiente dinero para sostener la vida?
2. ¿Mide Rosa más de cuatro pies diez pulgadas?
3. ¿Pesa más de noventa y seis libras?
4. ¿Podían los asistentes verla fácilmente?
5. ¿Alcanzó Rosa más del octavo grado antes de abandonar la escuela?

PREGUNTAS

1. ¿Por qué abandonó Rosa la escuela cuando estudiaba el octavo grado?
2. ¿Dónde trabajaban Rosa y su familia?
3. ¿Por qué no esperó Rosa conseguir un buen empleo?
4. ¿Por qué asistió Rosa al banquete en el Hotel Sheraton-Park?
5. ¿Qué hacen los Cuerpos de Trabajo para los jóvenes como Rosa?
6. ¿Cómo ha servido Rosa a su país de adopción?
7. ¿Qué quiere Rosa llegar a ser algún día?
8. Según Rosa, ¿qué es necesario si los chicanos quieren mejorarse?

DISCURSO

Haga, en forma oral o escrita, el discurso en que Rosa da las gracias por la Placa de Honor.

24
El escultor de la naturaleza

José Suárez es el auténtico campesino mexicano: tez
morena°, sombrero campero y vestido humilde°, lento   tez... piel oscura / pobre
en movimientos y de pocas palabras. Nunca ha salido
de su pueblo en el estado de Querétero, en el centro de
la República, y no conoce las tendencias del arte
moderno. Pero tiene una pasión, la naturaleza, y con
ella pasa sus horas, sus días, sus años, realizando° un   haciendo
trabajo poco común, entre el arte y la artesanía. Es el
"escultor de la naturaleza".

La Hacienda de Jurica tiene hermosos jardines que José cuida, pero su arte no se limita sólo a eso. También planta árboles y arbustos° que vigila° con amor y cuando han alcanzado la altura necesaria, comienza a cortar cuidadosamente cada rama°, a nivelar o desnivelar, a redondear°, hasta alcanzar la forma deseada. Realiza esculturas de gran variedad: el escudo nacional°, un campesino sentado en su burrito, la divertida pareja de monos jugando y formas etéreas que se pierden en el azul del cielo.

arbustos / cuida

rama

poner **redondo**

escudo nacional

Don José, joven a sus casi sesenta años, piensa sus esculturas lentamente. No tiene nunca prisa, no vive al ritmo de la ciudad moderna, no es ansioso. Lo más difícil es encontrar la forma que corresponda al carácter y estructura de cada árbol o arbusto, pero él los conoce bien, son muchos años viéndolos día a día, sintiendo, comunicando, quizás hablando con ellos.

El trabajo de Don José más que un arte es una meditación sobre la naturaleza. Puede ser que haya comprendido algo que muchos no entienden, que no puede hacer distinción entre el arte y la vida de todos los días.

Adaptación de un artículo de *Tiempo* (México)

[265 palabras]

Ejercicios

FAMILIA DE PALABRAS

campo: **Don José es el auténtico *campesino* mexicano.**

1. campo: Don José lleva un sombrero _____.
2. natural: Es el escultor de la _____.
3. alto: Los corta cuando han alcanzado la _____ necesaria.
4. cuidado: Corta cada rama _____.
5. divertir: Ha hecho una _____ pareja de monos jugando.
6. ansiedad: No tiene nunca prisa y no es _____.
7. distinguir: No puede hacer _____ entre el arte y la vida.

SINÓNIMOS

Sus vestidos son *pobres*. → Sus vestidos son *humildes*.

1. Don José tiene los cabellos negros y la *piel oscura*.
2. Es un hombre *que no habla mucho*.
3. Ya ha *hecho* muchas esculturas.
4. Corta los árboles cuando han *llegado a* la altura necesaria.
5. Corta cuidadosamente hasta alcanzar la forma *que quiere*.

DIBUJO *(ejercicio de comprensión auditiva)*

Haga el retrato de Don José bajo la dirección de su maestro, que le da paso a paso las instrucciones siguientes: "Dibujen la forma de Don José, de frente o de perfil... en su cabeza lleva un sombrero campesino... tiene en la mano una pala°... a su derecha hay un árbol... a la izquierda, un arbusto... su perro está con él."

pala

ESTRUCTURAS

A

¿Cómo pasa su tiempo? Realiza esculturas. → Pasa su tiempo realizando esculturas.

1. ¿Cómo las realiza? Corta cada rama atentamente.
2. ¿Cómo cuida sus árboles? Los vigila con amor.
3. ¿Cómo llega a comprenderlos? Los ve todos los días.
4. ¿Cómo pasa sus días? Contempla sus árboles y arbustos.
5. ¿Cómo conserva su tranquilidad? Vive a un ritmo lento y regular.

B

¿Tiene **Don José una esposa? → No sé, pero** *puede ser que tenga* **una esposa.**

1. ¿Tiene Don José hijos o hijas?
2. ¿Tiene ahora más de sesenta años?
3. ¿Tienen sus esculturas mucho valor monetario?
4. ¿Ha esculpido formas humanas?
5. ¿Ha realizado más de cien esculturas?
6. ¿Ha comprendido algo de importancia sobre la vida?

PREGUNTAS

1. ¿Qué clase de hombre es José Suárez?
2. ¿Dónde pasa su vida?
3. ¿Por qué le llaman el "escultor de la naturaleza"?
4. ¿Qué emplea José Suárez en vez del material tradicional del escultor?
5. ¿Qué forma toman sus obras?
6. ¿Cómo encuentra Don José la mejor forma para cada árbol y arbusto?
7. ¿Conoce bien el arte contemporáneo Don José?

25
Copán, legendario y monumental

Las ruinas de Copán están situadas en un pequeño valle al occidente de la República de Honduras, con una altura de unos 2.000 pies sobre el nivel del mar. La visita a este lugar es de fácil acceso por vía aérea o terrestre —las rutas se están pavimentando actualmente.

A un kilómetro del centro arqueológico se encuentra la ciudad de Copán, muy pintoresca, hospitalaria por tradición y con buenos hoteles, donde se puede pasar un agradable fin de semana y tomarse así el tiempo indispensable para recorrer° las majestuosas ruinas mayas.　　　　　　　　　　　　　　　　　visitar

Los mayas poblaron esta región unos cinco siglos a. de J. C. y la abandonaron entre los siglos X y XII. Los conquistadores españoles no la alcanzaron, pues existía entonces una selva° impenetrable. En una serie de　bosque grande expediciones científicas, el gobierno de Honduras y la Institución Carnegie de Washington lograron° restaurar　pudieron y conservar los monumentos más notables. Hoy día, constituyen el conjunto más importante de monumentos legados° por los mayas en toda la región que　dejados ocuparon.

En la historia de la humanidad los mayas representan a un pueblo trabajador, pacífico y religioso, que alcanzó un adelanto° sorprendente en todas las ramas　progreso

del arte y de las ciencias. Llegaron al pináculo de gloria *downhill, decadence* y grandeza para caer después en la decadencia y la extinción.

Copán es la expresión del "Gran Período" de la civilización maya. Por su riqueza en monumentos, donde se observan multitudes de jeroglíficos caracterís- *development* ticos, Copán refleja en forma extraordinaria el desarrollo cultural de los mayas, que muchos investigadores han llamado "la Atenas maya" o "la Alejandría maya", en comparación con aquellas grandes culturas de Grecia y Egipto.

Símbolos del tiempo
 del calendario maya

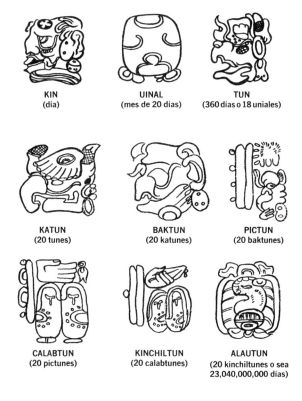

KIN
(día)

UINAL
(mes de 20 días)

TUN
(360 días o 18 uniales)

KATUN
(20 tunes)

BAKTUN
(20 katunes)

PICTUN
(20 baktunes)

CALABTUN
(20 pictunes)

KINCHILTUN
(20 calabtunes)

ALAUTUN
(20 kinchiltunes o sea
23,040,000,000 días)

Los Nueve Períodos del Tiempo

142

Dentro de esta riqueza jeroglífica, los especialistas han deducido que los mayas resolvieron con exactitud problemas matemáticos, obteniendo conocimientos fundamentales y bien comprobados. Crearon° signos *inventaron* específicos para computar el tiempo y la extraordinaria invención del cero. Este último los coloca° en puesto *pone* predominante, pues si los orientales lo concibieron° en *inventaron* los siglos VI y VII, y de allí pasó a Europa, los mayas se adelantaron 1.000 años a esto en el continente americano. Crearon también un calendario que hoy mismo demuestra la exactitud con que computaban el tiempo.

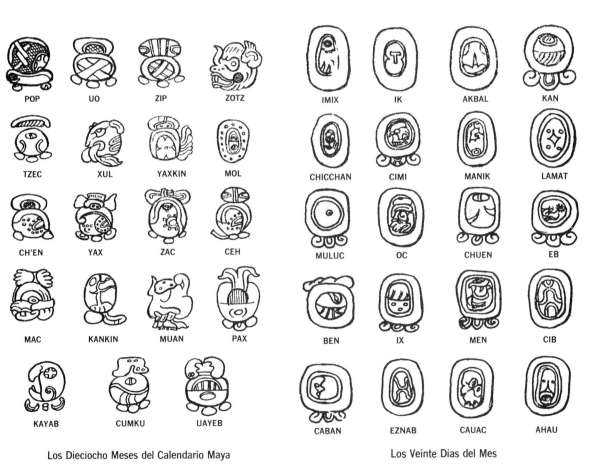

Los Dieciocho Meses del Calendario Maya

POP · UO · ZIP · ZOTZ
TZEC · XUL · YAXKIN · MOL
CH'EN · YAX · ZAC · CEH
MAC · KANKIN · MUAN · PAX
KAYAB · CUMKU · UAYEB

Los Veinte Días del Mes

IMIX · IK · AKBAL · KAN
CHICCHAN · CIMI · MANIK · LAMAT
MULUC · OC · CHUEN · EB
BEN · IX · MEN · CIB
CABAN · EZNAB · CAUAC · AHAU

Escalera maya con jeroglíficos

Se cree que Copán alcanzó *reached* una población de unos 200.000 habitantes. El gran número de los templos, las plazas, las estructuras y los monumentos que todavía se conservan dan vivo testimonio de que esta antigua civilización indígena fue una de las más altas de la historia del hombre.

**Adaptación de un artículo de *Honduras Ilustrada*
(Tegucigalpa)**

[400 palabras]

Ejercicios

DEFINICIONES

Un bosque enorme: **Cuando los españoles llegaron al Nuevo Mundo, Copán estaba ya rodeado de una *selva* impenetrable.**

1. Transmitir ideas a los que viven después: Los monumentos _____ por los mayas muestran la riqueza cultural de esta civilización.
2. Hacer progreso: En las ramas del arte y de las ciencias, los mayas alcanzaron un _____ excepcional.
3. Llegar a la conclusión: Al analizar los jeroglíficos de los mayas, los especialistas han _____ que éste fue un pueblo muy desarrollado.
4. Hallar la solución: Los mayas _____ con exactitud problemas matemáticos.
5. Hacer; inventar: _____ también un calendario extraordinario.

ESTRUCTURAS

A

El gobierno de Honduras quiere conservar los monumentos mayas. → **¡Ojalá que los conserve!**

1. La Institución Carnegie de Washington quiere restaurar los monumentos mayas.
2. El gobierno quiere pavimentar las rutas para Copán.
3. Los investigadores quieren descifrar los jeroglíficos de esta civilización.
4. Las expediciones científicas quieren comprobar la invención del cero.
5. El Museo Metropolitano del Arte quiere ofrecer una exhibición maya.

B

¿Están pavimentadas las rutas para Copán? → **Todavía no, pero se están pavimentando.**

1. ¿Están construidos nuevos hoteles turísticos en Copán?
2. ¿Están restaurados los monumentos más notables de los mayas?
3. ¿Están descifrados los jeroglíficos de esta civilización?
4. ¿Están comprobadas las conclusiones de los investigadores?
5. ¿Están investigadas todas las ruinas de Copán?

PREGUNTAS

1. ¿En qué parte del mundo, y en qué país, se encuentran las ruinas de Copán?
2. ¿Por qué podemos considerar a Copán como una ciudad ideal para los turistas?
3. ¿Por qué los conquistadores españoles no lograron visitar esta civilización antigua?
4. ¿Cómo conservó el gobierno de Honduras la riqueza de la cultura del pueblo maya?
5. ¿Qué carácter tenían los mayas?
6. ¿Cómo representa la ciudad de Copán el "Gran Período" de la civilización maya?
7. Indique algunas creaciones de los mayas.
8. ¿Por qué son importantes?
9. ¿Cómo sabemos que aquella civilización fue extraordinaria?

PUNTOS DE VISTA

Discuta en forma oral o escrita.

Es inútil gastar tanto dinero y perder tanto tiempo desenterrando los esqueletos y las ruinas de una civilización antigua. ¿Cómo la arqueología puede ayudar a resolver los problemas de hoy día?

PROYECTOS INDIVIDUALES

Según sus intereses, varios estudiantes pueden preparar presentaciones (cinco a diez minutos) sobre aspectos de la civilización maya. Por ejemplo:

- un "arqueólogo" explica un modelo de una ruina maya que él o ella ha construido
- un "científico" demuestra algunas invenciones mayas científicas o matemáticas
- un "artista" presenta unas contribuciones artísticas mayas
- un "etnólogo" habla de lo que se sabe sobre el modo de vida maya

26
Alpacas, por inseminación

Quienes creen que las alpacas y los demás auquénidos° que viven en las altas montañas aparecieron en el mundo tal como son ahora, están equivocados. Llamas, alpacas, vicuñas y guanacos son descendientes, evolucionados, de un animal llamado "llama de California", y por eso son parientes de los camellos y dromedarios.

familia de animales que incluye las llamas y las alpacas

Los auquénidos fueron conocidos por las más antiguas culturas preincaicas que los domesticaron y utilizaron como bestias de carga y proveedores de carne y fibras o pelos para vestidos. Primero se domesticó la llama y después la alpaca. Pero hasta ahora las vicuñas y los pocos guanacos que quedan viven en estado salvaje°.

contrario de **domesticado**

De entre todos éstos, la alpaca es la que mejor se adapta. Se reproduce fácilmente en cautiverio° y recientemente, gracias al Instituto Veterinario de Investigaciones Tropicales y de Altura (IVITA), se está multiplicando con buen resultado por inseminación artificial.

en... contrario de **en libertad**

En el Perú hay cerca de 4 millones de alpacas, según el Director de IVITA. En Bolivia hay 300.000, en Chile 80.000, y en la Argentina y el Ecuador muy pocas. Las dos especies que se encuentran en el Perú son la huacaya y la suri, cuyo color de pelo o fibra va del blanco nieve, que tiene mucho valor, hasta el negro, pasando por el marrón, el gris y otros tonos.

La fibra o pelo de la alpaca, sin ser tan fino como el de la vicuña, es muy apreciado en el mercado internacional; no es afectado por los cambios de precio como la lana de oveja°, pues los únicos productores son el Perú y Bolivia.

oveja

Sin embargo, la crianza° de alpacas no ha progresado como debería, por razones que han existido desde la época en que llegaron los españoles al Perú en el siglo XVI. Cuando ellos desembarcaron con sus ovejas, encontraron un imperio organizado en el que la crianza de llamas y alpacas estaba muy desarrollada. Pero comenzaron a consumir su carne, y a matarlas de cansancio pues las utilizaron en el transporte de tesoros que desde el Nuevo Continente enviaron al Viejo.

producción

Alpacas y llamas en la época colonial estaban en peligro de desaparecer. Su resistencia para la altura, que afecta a ovejas y vacas, les permitió refugiarse en los Andes, evitándose así la extinción.

Últimamente se ha pensado en desarrollar un híbrido de la alpaca: el paco-vicuña que resulta del cruce de una vicuña macho con una alpaca. Este animal tiene mayor cantidad de fibra que la vicuña y de mejor calidad que la de la alpaca.

Adaptación de un artículo de 7 *Días* (Lima)

[411 palabras]

Ejercicios

DEFINICIONES

Un animal que ha pasado por una serie progresiva de transformaciones está *evolucionado*.

1. Un pequeño animal domesticado, de Europa, que produce una fibra muy estimada para vestidos de invierno es _____.
2. Producción: _____.
3. Los estados que están gobernados por un mismo emperador son _____.
4. La falta de fuerzas causada por demasiado trabajo es _____.
5. Una gran cantidad de oro, plata y cosas preciosas es _____.
6. Recientemente: _____.

ESTRUCTURAS

A

Los camellos y los dromedarios no son los mismos. → Quienes creen que los camellos y los dromedarios son los mismos están equivocados.

1. Las vicuñas no han sido domesticadas.
2. Todas las alpacas no son del mismo color.
3. La crianza de los auquénidos no es fácil.
4. Los guanacos no están extintos.
5. El Perú no es un país completamente agrícola.

B

La alpaca *se reproduce* fácilmente. → La alpaca *se está reproduciendo* fácilmente.

1. Se domestica la llama.
2. Los animales se multiplican con buen resultado.
3. El mercado de fibra de vicuña se mejora.
4. Los precios se cambian rápidamente.
5. Los auquénidos se refugian en la alta montaña.
6. Ahora el número de las alpacas se aumenta.

C

***¿Se está desarrollando* la crianza de llamas? → Ya *se ha desarrollado*.**

1. ¿Se está desapareciendo la "llama de California"?
2. ¿Se están refugiando las llamas en los Andes?
3. ¿Se está comenzando a enviar carne a Europa?
4. ¿Se está pensando en desarrollar un híbrido?
5. ¿Se están domesticando las llamas?

PREGUNTAS

1. ¿Qué clases de animales son miembros de la familia de los auquénidos?
2. ¿De qué animal son descendientes?
3. ¿Por qué eran estimados por las culturas preincaicas?
4. ¿Cuáles eran domesticados por esta gente?
5. ¿Cuáles viven todavía en estado salvaje?
6. ¿Cuál es el que mejor se adapta en cautiverio?
7. ¿Por qué las alpacas se están multiplicando con buen resultado?
8. ¿Dónde hay más alpacas?
9. ¿Por qué son apreciadas las alpacas en el mercado internacional?
10. ¿De qué color es el pelo?
11. ¿Estaba la crianza de la alpaca más avanzada de lo que está hoy?
12. ¿Cómo los españoles pusieron en peligro esta producción?
13. ¿Cómo se evitó la extinción de las llamas y las alpacas?
14. ¿Qué es un paco-vicuña?
15. ¿Cuáles son sus cualidades?

27
Un espectáculo
bárbaro y popular

Entre las tradiciones populares del continente americano, una —la lucha de gallos— se destaca° por su   se distingue
popularidad. Se introdujo en la época de la conquista
española, importada de la "civilizada" Europa. Es una
fiesta popular, considerada por algunos como un deporte, por otros una ceremonia o ritual, y por muchos
un espectáculo salvaje y sanguinario°.   con mucha sangre

La fiesta moviliza una cantidad enorme de público de lo más variado, compuesto en su mayoría de hombres de un nivel económico y cultural pobre. Sin embargo participan también mujeres y miembros de las clases privilegiadas. Tiene lugar en una "gallera", un espacio circular —el ruedo— con un suelo blanco de arena fina, rodeado de asientos o graderías° para los

rodeado... graderías

espectadores. Es una versión, en pequeño, del ruedo de la plaza de toros española.

La lucha puede presentar dos variantes:
—la que termina con la muerte de uno de los contendientes
—la que finaliza cuando uno de los gallos manifiesta una clara inferioridad.

El público alegre y animado llega a la gallera con tiempo suficiente, se comentan las posibilidades de ambos gallos, se analiza y discute, a veces se disputa, bajo un sol brillante que da luminosidad y colorido a la fiesta.

El espectáculo comienza cuando los entrenadores° entran en el ruedo llevando sus respectivos animales cubiertos con capas de seda o terciopelo° y el nombre del entrenador en letras doradas.

se dice también "managers"

seda... telas elegantes

El público se excita. Cada entrenador pone el espolón°, previamente escogido, en la pata° derecha de su gallo, junto al espolón natural del animal. El espolón es el arma de ataque. Puede ser muy agudo, lo que reduce notablemente la duración de la lucha, o bien menos agudo, lo que alarga el combate.

espolón / pie (de un animal)

En el momento en que los entrenadores lanzan sus animales al ruedo, teniéndoles por un cordel, el público puede apreciar de cerca su tamaño y su agresividad. Las apuestas° y la tensión aumentan.

El juez° que regula la lucha levanta la campanilla° y la mantiene en alto dos o tres minutos, mientras duran las apuestas, pasados los cuales se cortan los cordeles de los gallos y la verdadera lucha comienza. En las graderías hay un silencio absoluto cargado de expectación. Los entrenadores estimulan a sus animales para un

dinero arriesgado

árbitro / **campanilla**

primer ataque. Cada vez que uno de los gallos se pone en posición de combate, el entrenador del otro alerta su animal por medio de gritos.

El público sigue el combate paso a paso. Normalmente cuando un gallo ataca, el otro se retira; si tiene coraje reacciona y ataca a su vez. Siguen los golpes, los saltos, los movimientos de ataque y defensa que fatigan a los luchadores. Las plumas vuelan brillantes al sol. Finalmente uno se impone, ataca a su enemigo hasta conseguir enterrar° en él su espolón. Si la lucha es a ⟶ penetrar
muerte, viene el ataque final y uno de los animales queda sobre la arena manchada° de sangre. El entrena- ⟶ cubierta en parte
dor del vencedor se lanza al ruedo y abraza entusiasmado a su gallo°, cubriéndolo cuidadosamente con el

El entrenador... gallo

manto de gala° entre los aplausos, gritos y risas del ⟶ **manto...** símbolo del vencedor
público. El perdedor recoge tristemente su gallo muerto o herido, y sale periéndose entre la confusión. El público abandona las graderías discutiendo animadamente. La trágica fiesta ha terminado; corren el vino y la cerveza°, se comenta el espectáculo pasado y se ⟶ **cerveza**
prepara el próximo.

Esto es la lucha de gallos, ceremonia de sangre, ceremonia de muerte, deporte... en todo caso como muchas otras fiestas populares (lucha de carneros°, de

carnero

154

camellos, corridas de toros, boxeo) su verdadera significación no es clara. Para algunos, es la ocasión de una fiesta, la posibilidad de vivir un momento excitante, lejos de las preocupaciones cotidianas°, una pura evasión. Para otros, es un espectáculo bárbaro y sanguinario que degrada al espectador. Los psicólogos lo interpretan como una posibilidad de descargar la agresividad reprimida.

    En realidad, ¿qué es la lucha de gallos? ¿Nada más que un espectáculo? ¿Una expresión de la propia agresividad? ¿Una necesidad de afirmar la virilidad y supremacía del macho° más fuerte? ¿Quizás un recuerdo inconsciente del pasado salvaje del hombre prehistórico? El lector tiene la palabra.

de todos los días

ser masculino

Adaptación de un artículo de *Siete Días Ilustrados* (Buenos Aires)

[675 palabras]

Ejercicios

DEFINICIONES

El contrario de *civilizado*: Es un espectáculo *bárbaro*.

1. Se distingue: Un deporte se _____ por su popularidad.
2. El espacio circular: La lucha tiene lugar en el _____.
3. Los luchadores: En una lucha de gallos hay dos _____.
4. El "manager": El _____ entra llevando su gallo.
5. El "pie": El gallo lleva el espolón en la _____ derecha.
6. Afilado: El espolón más _____ hace más daño al oponente.
7. Dimensión: ¿Cuál es el _____ de este gallo; es grande?
8. El contrario de limpio: La arena está _____ de sangre.
9. De todos los días: El público olvida sus preocupaciones _____.

ESTRUCTURAS

A

Hay dos contendientes. Uno gana y el otro pierde. → Hay dos contendientes, el que gana y el que pierde.

1. Hay dos gallos. Uno ataca y el otro se retira.
2. Hay dos entrenadores. Uno sale alegre y el otro sale triste.
3. Hay dos variantes. Una termina con la muerte y la otra termina cuando un gallo está herido.
4. El gallo tiene dos patas. Una lleva el espolón y la otra no lleva nada.
5. La lucha tiene dos aspectos. Uno expresa la agresividad y el otro expresa la alegría.

B

El espectáculo *ha sido introducido* en la época de la conquista. → El espectáculo *se introdujo* en la época de la conquista.

1. El espectáculo *ha sido importado* de Europa.
2. La lucha de gallos *ha sido considerada* como un deporte.
3. La superioridad de un gallo *ha sido demostrada* claramente.
4. Las posibilidades de ambos gallos *han sido comentadas y analizadas.*
5. El espolón *ha sido puesto* en la pata del gallo.
6. El público *ha estado entusiasmado* por el gallo más agresivo.

C

¿Cómo estimula el entrenador a su gallo? *Con gritos.* → Lo estimula *por medio de* gritos.

1. ¿Cómo empieza el juez el combate? Con una campanilla.
2. ¿Cómo puede ganar dinero un espectador? Con apuestas.
3. ¿Cómo mata el gallo a su enemigo? Con un espolón.
4. ¿Cómo sostienen los entrenadores a sus gallos? Con un cordel.
5. ¿Cómo simboliza el entrenador su triunfo? Con el manto de gala.

TRANSPOSICIÓN

Cuente (o escriba) desde ''El juez que regula la lucha...'' hasta ''...por medio de gritos'', cambiando los verbos al imperfecto.

''El juez que regulaba la lucha...''

PREGUNTAS

1. ¿Es fiesta o ceremonia la lucha de gallos? ¿Por qué?
2. ¿Qué clase o clases sociales son aficionadas a esta fiesta?
3. ¿Dónde tiene lugar la lucha?
4. ¿Termina siempre con la muerte?
5. ¿Qué llevan los gallos al entrar al ruedo?
6. ¿Qué llevan en la pata derecha? ¿Para qué sirve?
7. ¿Qué cualidades se aprecian en un gallo?
8. ¿Cuándo se cortan los cordeles de los gallos?
9. ¿Cuándo termina la lucha?
10. ¿Cuál es la atracción de la lucha de gallos?

DIBUJO

Para los artistas: Dibuje una serie de tres o cuatro escenas ilustrando en color el progreso de una lucha de gallos. Después, explíquelas a la clase.

PUNTOS DE VISTA

Discuta en forma oral o escrita lo que es la lucha de gallos: ¿ceremonia, deporte o fiesta?

DEBATE

La clase se divide en dos partes (pro y contra) para discutir la pregunta: ¿Debe prohibirse o permitirse la lucha de gallos?

28
Triunfo y pobreza

Hace pocos años, el escritor colombiano Gabriel García Márquez escribió una novela, *Cien años de soledad*. Fue publicada por la Editorial Sudamericana de Buenos Aires.

Hasta ahora, el autor ha ganado el 10 por ciento de una venta de 400.000 libros vendidos en Hispanoamérica. En España se vendieron otros 100.000 ejemplares°, y en Cuba unos 20.000 en dos días.

Diez años antes de llegar a ser uno de los mejores novelistas° de su tiempo, García Márquez estaba en París, "viviendo de milagros°" en un hotel pequeño porque no tenía dinero para pagar una habitación normal.

El triunfo de este escritor ilustra el gran surgimiento° de la literatura hispanoamericana que se ha producido en los últimos años. Pero el caso de García Márquez no es ciertamente el único. En el mismo hotel donde vivía el colombiano en condiciones miserables, el peruano Mario Vargas Llosa estaba preparando su novela *La ciudad y los perros*, que pocos años después ganó un premio importante.

Algunos dicen que este nuevo éxito extraordinario de la literatura hispanoamericana se debe fundamentalmente a que los autores interpretan el espíritu americano y, al interpretarlo, se han hecho universales. Pero el conocido crítico Guillermo de Torre dice que la publicidad es hoy un elemento importante en la promoción de la literatura. "El lector medio —dice— lee ahora novelas latinoamericanas porque se le presentan rodeadas de una propaganda muy atractiva." Y, al menos en parte, es necesario reconocer que tiene razón.

La fortuna no ha venido fácilmente a los escritores que hoy dominan esta literatura. Los que están ahora a la cabeza del movimiento literario en Hispanoamérica son personas que han soportado° períodos bastante largos de sacrificios, duro trabajo incomprendido y, tal vez, hambre. Después de que sus obras se encuentran en las listas de mayor éxito, disfrutan° quizá de una seguridad económica mínima para seguir escribiendo, pero ciertamente no del lujo que la gente mal informada

libros

autores de novelas (cuentos largos)
viviendo... viviendo con mucha dificultad

progreso

conocido; sufrido

gozan

imagina. "Estoy muy lejos —dice José Donoso— de poder quedarme sentado en mi sillón° recibiendo mensualmente° los cheques que me envía mi agente. Claro que, indirectamente, puedo vivir de lo que escribo, pues el prestigio que esto me da me permite obtener trabajos de profesor, becas°, traducciones, etcétera para no morirme de hambre con más o menos elegancia."

silla con brazos

cada mes

ayuda monetaria para los estudios

La falta de estímulo, en dinero y en apreciación, explica la decisión de muchos novelistas hispano-americanos de dejar su país para instalarse en Europa o en los Estados Unidos. Unos han podido pagar el viaje de su bolsillo°, y otros han recibido una beca oficial o un puesto diplomático.

de... con su propio dinero

Las circunstancias locales han cambiado en los últimos años. En la Argentina y en México se ha consolidado una respetable industria editoral, y en otros países se han hecho serios esfuerzos para promo-verla°. El mercado del libro sigue limitado, sin embargo, por varios factores. En algunos países un alto porcen-taje° de analfabetismo predomina todavía. Y en casi todos, el costo que representa comprar un libro es elevado. Los seis dólares que vale aproximadamente una novela equivalen fácilmente a un día de salario de un empleado, y mucho más en el caso de un trabajador.

esfuerzos... acciones para popularizarla

porcentaje: %

Actualmente es costumbre en Hispanoamérica pagar al autor el 10 por ciento del precio de cada libro vendido. El resto se distribuye así: entre el 10 por ciento y el 15 por ciento para el distribuidor, entre el 35 y el 40 por ciento para el librero°, y el 40 por ciento para el editor°.

persona que vende libros / compañía que publica libros

—Los escritores de éxito —dice García Márquez— somos como vacas lecheras de las cuales viven muchos otros, desde los fabricantes de papel hasta los libreros. Pero a nosotros nos corresponde solamente 10 por ciento de cada ejemplar vendido, menos 10 por ciento

de éste que pagamos al agente literario y menos los
impuestos°. Hay que vender como cuatro ejemplares de   dinero que se da al gobierno
una novela para llevar los niños al cine.

Adaptación de un artículo de *Visión* (México)

[645 palabras]

Ejercicios

SINÓNIMOS

Dé otra(s) palabra(s) con el mismo significado.

1. Se necesita mucho tiempo para leer *un cuento largo*.
2. Muchos novelistas *viven con mucha dificultad* antes de llegar a ser ilustres.
3. García Márquez no es el único que ha *sufrido* períodos bastante largos de sacrificios.
4. La literatura hispanoamericana *goza* de un nuevo prestigio.
5. Después de que una novela se encuentra en las listas de mayor éxito, el autor goza *tal vez* de una seguridad económica mínima.
6. Un gran surgimiento de esta literatura se produce *hoy día*.
7. Es *habitual* pagar al distribuidor entre el 10 por ciento y el 15 por ciento del precio del libro.

ESTRUCTURAS

A

*Use la preposición **para** o **por**, según convenga.*

Sus obras le permiten obtener trabajos de profesor _____ no morirse de hambre. → Sus obras le permiten obtener trabajos de profesor *para* no morirse de hambre.

1. Hay que vender muchos ejemplares de una novela _____ mantener a la esposa y a los hijos.
2. Varios autores no han tenido dinero _____ pagar una habitación normal.

3. Un autor gana el 10 _____ ciento de la venta de sus obras.
4. Su primera novela fue publicada _____ la Editorial Sudamericana.
5. Este novelista ha dejado su país _____ instalarse en Europa.
6. El mercado del libro sigue limitado _____ varios factores.
7. Un 40 por ciento del precio del libro es _____ el editor.

B

Los autores interpretan el espíritu americano. Se han hecho universales. →
Los autores interpretan el espíritu americano, y al interpretarlo, se han
hecho universales.

1. Este autor ha expresado sus dolores. Ha escrito una novela inolvidable.
2. Los escritores han soportado períodos de sacrificios. Han ganado una experiencia importante para sus novelas.
3. Este novelista ha recibido un puesto diplomático. Ha podido instalarse en el extranjero.
4. Algunos autores han ganado premios importantes. Han obtenido un nuevo prestigio.
5. Algunos países hispanoamericanos han promovido la industria editorial. Han desarrollado el mercado del libro.

C

Los autores son como vacas lecheras. Muchos otros viven de ellas. → Los
autores son como vacas lecheras de las cuales viven muchos otros.

1. Este autor ha escrito muchas novelas. Vive de ellas ahora.
2. Sigue limitado el mercado del libro. Distribuidores, libreros, editores y autores viven de ello.
3. Esta novela ha gozado de una venta grande. El autor ha ganado el 10 por ciento de ella.
4. Gabriel García Márquez interpreta el espíritu americano. El éxito de su libro depende de ello.
5. Los escritores tienen que vender muchos ejemplares. Ganan muy poco dinero de ellos.
6. Una obra de éxito ofrece al novelista un prestigio oportuno. Puede obtener trabajo de profesor de ello.

D

La literatura hispanoamericana disfruta de un nuevo éxito porque los
autores interpretan el espíritu americano. → El nuevo éxito de la literatura
hispanoamericana se debe a que los autores interpretan el espíritu
americano.

1. Este autor disfruta de un nuevo prestigio porque él ganó un premio importante.

2. Este escritor ha gozado de un triunfo porque sus novelas expresan ideas universales.
3. Este novelista disfruta de un viaje a Europa porque él ha recibido una beca oficial.
4. Su novela disfruta de un éxito extraordinario porque ella estaba rodeada de publicidad.
5. Algunos escritores disfrutan de una seguridad económica porque sus obras se encuentran en las listas de mayor éxito.

PREGUNTAS

1. ¿Qué hacía García Márquez diez años antes de llegar a ser uno de los mejores novelistas de su tiempo? ¿Es éste el único caso de un autor hispanoamericano que ha hecho sacrificios para escribir?
2. ¿Cómo ha evolucionado la literatura americana en los últimos años?
3. ¿A qué se debe el nuevo éxito de la literatura hispanoamericana?
4. Según uno de los críticos literarios, ¿qué es un elemento importante en la promoción de la literatura?
5. ¿Qué han debido soportar los escritores antes de llegar a la cabeza del movimiento literario en Hispanoamérica?
6. ¿Cuándo comienzan ellos a disfrutar de una seguridad económica?
7. ¿Por qué dice José Donoso que puede vivir "indirectamente" de lo que escribe?
8. ¿Por qué dejan sus países muchos autores hispanoamericanos para instalarse en el extranjero?
9. ¿Cómo han cambiado las circunstancias en los últimos años?
10. ¿Por qué sigue limitado el mercado del libro en Hispanoamérica?
11. ¿Quién se beneficia de las ventas de libros?
12. ¿Quién recibe la parte más pequeña del precio del libro? ¿La más grande?

PUNTOS DE VISTA

Discuta en forma oral o escrita.

1. El exilio es una condición que inspira a los grandes escritores. Discuta con referencia a escritores mundialmente famosos.
2. Los libros son caros y la gente común no puede comprarlos. Por eso la literatura no es una forma de acción política.

29

Los hombres
de estaño°   metal blanco de que
                se hacen latas

Un reportero de la revista argentina *Siete Días Ilustrados*
pasó tres semanas con los mineros de Bolivia. Éste es su
reportaje.

En este mundo de piedra y polvo, a casi 4.000 metros de
altura, las noches son aun más duras que los días. El sol
de la montaña quema la piel, pero cuando desaparece y
caen las sombras, el frío penetra ferozmente hasta los
huesos. Ésta es mi primera noche en el centro minero de
Bolivia. El pueblecito se llama Llallagua; la mina, *Siglo
XX*.

Voy atravesando° la pequeña plaza helada, lenta-   cruzando
mente, con las manos hundidas° en un abrigo negro.   escondidas; desaparecidas
"¡Padre! ¡Padrecito!": un trabajador sale, corriendo, de
la oscuridad. Me toma el brazo; a la luz enferma de la
única lámpara, cualquiera puede leer la desesperación
en esta cara huesuda. La voz suena° imperativa: "Me   parece
tiene que acompañar, padre, se lo ruego°". Explico que   pido

no soy sacerdote°. Varias veces se lo explico. Es inútil: "Ha de venir, padrecito, conmigo ha de venir". Al minero se le está muriendo un hijo. "El más joven es, padre. Tiene que venir y darle los santos óleos°. Ahorita, padre, que se nos va." Me hunde los dedos en el brazo°.

En el cementerio de Llallagua se encuentra, entre las tumbas oscuras de los adultos, una innumerable cantidad de cruces blancas sobre las tumbas pequeñas. De cada dos niños, uno muere poco tiempo después de nacer. El otro, el que vive, será seguramente minero. Y antes de llegar a los treinta y cinco años, ya sus pulmones habrán rehusado° continuar trabajando.

clérigo católico; padre

darle... administrarle la Extrema
Unción

Me... Me toma el brazo con gran
fuerza

contrario de **aceptado**

Aquí el estaño es un dios que domina los hombres y las cosas y está presente en todas partes. No sólo hay estaño en el vientre del cerro° que va perdiendo altura mientras pierde riqueza. También tienen estaño las aguas que corren desde la montaña; se encuentra estaño en la tierra y en la roca, en la superficie y en el subsuelo, en la arena y en las piedras del río Seco. Hay estaño hasta en las paredes de adobe de las casas.

en... dentro de la montaña

Del estaño depende toda Bolivia y éste es el principal centro de producción.

Hace poco menos de un siglo, un hombre medio muerto de hambre peleaba° contra la roca en medio de estas desolaciones. La dinamita estalló° y cuando él se acercó a recoger los fragmentos de piedra fracturados por la explosión, quedó deslumbrado°. Tenía en las manos evidencia de la veta° de estaño más rica del mundo. Al día siguiente, muy temprano, montó a caballo en dirección de Huanuni. Allí confirmaron: el análisis dio entre el 54 y el 60 por ciento de metal. El estaño podía enviarse directamente de la veta al puerto, sin necesidad de ningún proceso de concentración. Aquel hombre se convirtió en el rey del estaño, y cuando se murió, se dijo que era uno de los diez hombres más ricos del mundo. Se llamaba Simón Patiño.

luchaba

estalló

sorprendido

parte de la roca que contiene el mineral

La revolución de 1952 nacionalizó el estaño. Pero aquellas minas riquísimas se habían vuelto ya pobres. A principios del siglo, los mineros consideraban basura° el estaño con una concentración inferior a un 10 por ciento. La concentración de la mina *Siglo XX* apenas alcanza hoy al 0.5 por ciento. Los nuevos métodos permiten, sin embargo, que todo se aproveche°: ¿es posible, por otra parte, imaginar costos más bajos? Los trabajadores de la Corporación Minera Boliviana ganan unos treinta dólares al mes. Se revela, además,

cosa sin valor

utilice

que más de la tercera parte° de los mineros no reciben ni un solo centavo el día de pago, porque deben más de lo que han ganado. Se hace necesario, entonces, trabajar horas extraordinarias en la atmósfera sofocante de la mina, lo que equivale simplemente a anticipar la propia muerte.

En la mina *Siglo XX,* la ley seca está en vigor, pero basta con cruzar el puente y allí está Llallagua, una especie de chichería° elevada a la categoría de pueble-cito. Los locales donde se vende chicha están uno al lado del otro. Son fríos y desolados como hospitales sucios°. En ellos es fácil entrar, pero resulta casi imposible salir: se bebe hasta caer al suelo. Se bebe chicha de Cochabamba, un poco ácida porque la han "mentido" por el camino con agua y alcohol puro. Este maíz fermentado, la más barata de las bebidas, se sirve en vasos o en cáscaras de coco partidas a la mitad: nadie puede rehusar la invitación y es costumbre beber todo de una sola vez. En la chichería se canta, se blasfema, se

la tercera parte: ⅓

lugar donde se vende chicha (bebida alcohólica barata)

contrario de **limpios**

baila, pero todo se hace sin alegría; los hombres beben con desesperación, como para escapar la destrucción final —o precipitarse hacia ella. Saben que es inevitable.

La vida del minero pasa entre la chichería y el vientre de la tierra. ¿Adónde ir, si no? ¿A la casa? ¿A descansar? Los niños lloran y hacen ruido, todos en el mismo cuarto; los vecinos pelean; sólo hay disputas y enfermedades en la casa. Quizá es mejor así. Cuando el hombre llega muy borracho° y cayéndose de sueño, la mujer escapa los golpes de esa noche.

Voy dejando atrás la mina, después de tres semanas. Pienso en los amigos, en los que se quedan. Pienso en la noche de ayer. Me han despedido con chicha y

ha bebido demasiado

canciones, y todo el tiempo me he sentido, sin saber muy bien por qué, un poco traidor. Hubo un largo momento de silencio, en la noche de ayer. Éramos muchos en aquel cuarto con suelo de tierra, las caras apenas alumbradas por la luz de un par de velas, y ninguno hablaba. Hasta que Pablo Rocha me pasó una mano por los hombros° y entonces dijo:

me... hombros

—Ahora, dínos cómo es el mar, hermanito.

Adaptación de un artículo de *Siete Días Ilustrados*
(Buenos Aires)

[928 palabras]

Ejercicios

DEFINICIONES

Hace mucho calor; en efecto, la atmósfera es *sofocante*.

1. Simón Patiño se sorprendió al ver la rica veta de estaño; en efecto quedó _____.

2. En el cementerio las tumbas no están alumbradas; en efecto, están _____.

3. Los mineros no pueden escapar la destrucción final; en efecto, la muerte es _____.

4. Esta piedra de estaño tiene poco valor; en efecto, los mineros la consideran _____.

5. Los mineros de Bolivia beben una gran cantidad de chicha; en efecto, a veces llegan a casa muy _____.

ESTRUCTURAS

A

Si el niño *vive*, *será* seguramente minero. → Si el niño *viviera*, *sería* seguramente minero.

1. Si el sacerdote viene, dará al niño los santos óleos.
2. Si el reportero visita Llallagua, verá estaño hasta en las paredes de adobe de las casas.

3. Si el hombre encuentra una veta de estaño, será muy rico.
4. Si usted trabaja en Llallagua, el sol le quemará la piel.
5. Si usted bebe demasiado chicha, llegará a casa borracho.

B

Los mineros *trabajan* en la atmósfera sofocante de la mina. → ¡Qué lástima que los mineros *trabajen* en la atmósfera sofocante de la mina!

1. Muchos hijos *mueren* poco tiempo después de nacer.
2. Los hombres *beben* con desesperación para escapar la destrucción inevitable.
3. Los trabajadores *ganan* solamente treinta dólares al mes.
4. La tercera parte de los mineros no *recibe* ni un solo centavo el día de pago.
5. Las chicherías *son* frías y desoladas como hospitales sucios.

PREGUNTAS

1. ¿Cómo es el clima de Llallagua?
2. ¿Por qué quiere el minero que el reportero le acompañe a su casa?
3. ¿Qué se encuentra en el cementerio de Llallagua?
4. ¿Dónde se encuentra el estaño?
5. ¿Qué es la importancia del estaño en Bolivia?
6. ¿Por qué es tan bajo el costo de producción?
7. ¿Quién era Simón Patiño?
8. ¿Cómo descubrió el estaño?
9. ¿Qué son las chicherías?
10. ¿Por qué pasan tanto tiempo los mineros en las chicherías?
11. ¿Qué pide Pablo Rocha al reportero?
12. ¿Por qué es inevitable "la destrucción final" de los hombres de estaño?

PUNTOS DE VISTA

Discuta en forma oral o escrita.

1. ¿Todavía existen condiciones de vida en los Estados Unidos comparables a ésas de los mineros bolivianos?
2. Las compañías de estaño protestan que si aumentan el pago de los mineros, se verán forzadas a cerrar completamente muchas minas. ¿Qué debe hacer la compañía? ¿los mineros? ¿Cómo puede ayudar el gobierno?
3. Vivimos muy lejos de Bolivia; por eso el problema no nos interesa directamente.

30
La muerte
de García Lorca

Federico García Lorca —el más grande poeta español de este siglo— murió fusilado° en la provincia de Granada, su tierra natal, el diecinueve de agosto de 1936.

matado con armas de fuego

Durante mucho tiempo en España, su muerte ha sido un tema prohibido. Nadie hablaba de él en alta voz. Ahora, por primera vez, las palabras "García Lorca asesinado" han aparecido en la prensa española, abriendo un debate apasionado sobre la manera y las causas de su muerte.

En los años de silencio, han corrido diferentes versiones sobre ello. Para unos las causas eran las intrigas familiares, los odios° y envidias tradicionales en toda sociedad provinciana. Para otros era la querella entre el poeta y la Guardia Civil con motivo de los versos que escribió sobre ella en "El Romancero Gitano".

contrario de **amores**

En realidad no se puede aislar° la muerte del poeta de la situación conflictiva española en 1936. (La Guerra Civil

separar

comenzó en julio de este año.) En esta España dividida entre nacionales y republicanos, García Lorca era republicano. Era amigo de socialistas, creador y colaborador de revistas satíricas que indignaban e inquietaban a los elementos conservadores.

García Lorca escribió obras de teatro con un claro contenido político-social, que reflejaban la vida y angustias de una parte de la sociedad española, la más desheredada°: pobre la campesina, encerrada dentro de estructuras ancestrales opresoras. En 1931, después de una visita a los Estados Unidos, decidió crear "La Barraca", un grupo de teatro, para dar a conocer el teatro clásico popular. Su propósito° intención

García Lorca
(Retrato de Gregorio Prieto)

era elevar el nivel cultural del pueblo español. Actuaban° en las pequeñas ciudades, en los pueblos, entre los campesinos y los obreros. "La Barraca" continuó funcionando después de comenzado el conflicto, actuando incluso en los campos de batalla de la zona republicana.

    La muerte de García Lorca no fue un fenómeno aislado, sin razón. El poeta tenía muchos enemigos y era considerado por algunos como elemento peligroso y perturbador.

    El diecisiete de julio, presintiendo la Guerra Civil, se fue a su casa de La Huerta de San Vicente. La guerra estalló, dividiendo a España en dos zonas, nacional y republicana. García Lorca se encontraba en la zona nacional. Unos amigos le propusieron pasar a la zona republicana, pero Federico no vio claro y decidió quedarse. El dieciséis de agosto llegaron a detenerle° por orden gubernativa. El diecinueve fue fusilado sin juicio° alguno, o como se decía entonces en España, "fue llevado al paredón°", junto a otras personas anónimas para las que, como él mismo decía, hubiera querido escribir sus dramas.

    En el aniversario del asesinato de Federico García Lorca, que consternó al mundo, la revista *Temas* le dedicó este recuerdo:

*　　*　　*

daban representaciones

llevarlo a la prisión

proceso legal

paredón

174

García Lorca es España. España se refleja en Lorca. Hay una unión muy íntima entre el hombre y su tierra, una tierra violenta, impregnada de tradiciones complejas.

El poeta está inmerso en el alma de su Andalucía, cuya esencia ha recogido e interpretado como nadie.

Pero García Lorca no termina en Andalucía, ni en España. Sobrepasa las fronteras geográficas hasta alcanzar elevación universal.

Lorca supera también los confines del tiempo. Resiste los cambios de la moda y de las ideologías, y no está sujeto a exaltaciones y abandonos bruscos. Su popularidad sigue expandiéndose, en ascenso, sobre todo entre los jóvenes.

Sus sensaciones inmediatas se hicieron música con original pureza de imagen. Estas sensaciones se las ofrecían el paisaje andaluz, los andaluces, con sus miserias y sus grandezas, con el "dolor de la alegría" que termina en tragedia.

Adaptación de un artículo de *Temas* (Nueva York)

[572 palabras]

Ejercicios

DEFINICIONES

El contrario de *permitido*: La muerte de García Lorca fue un tema *prohibido*.

1. El contrario de amores: Su muerte fue resultado de _____.
2. Separado; sin relaciones: Su muerte no fue un fenómeno _____.
3. Pobre y sin derechos: La mujer campesina es la persona más _____ de la sociedad española.

4. Intención: Su _____ era elevar el nivel cultural del pueblo.
5. Daba representaciones: El grupo teatral "La Barraca" _____ en los pueblos, para campesinos y obreros.
6. Legalidad: En su caso no fueron observadas las formalidades del _____.
7. Excede: La influencia del poeta _____ las fronteras geográficas.
8. Se lleva por encima de: Lorca _____ también los confines del tiempo.
9. De Andalucía: El poeta amaba particularmente el paisaje _____.

ESTRUCTURAS

A

Está inmerso en su Andalucía, de la cual ha interpretado la esencia. → Está inmerso en su Andalucía, cuya esencia ha interpretado.

1. La muerte del poeta es un fenómeno del cual la gente quiere saber la causa.
2. Nació y murió en la provincia de Granada, de la cual había amado el paisaje.
3. Los jóvenes leen las obras de García Lorca, de las cuales sigue expandiéndose la popularidad.
4. El poeta era compasivo con los andaluces, de los cuales él observaba las miserias y las grandezas.
5. La revista *Temas* dedicó un recuerdo a García Lorca, el asesinato del cual consternó al mundo.
6. El alma de Andalucía se refleja en García Lorca, la poesía del cual transmite con sensibilidad las emociones españolas.

B

¿Quién ofreció un recuerdo a García Lorca?   (la revista *Temas*) → Se lo ofreció la revista *Temas*.

1. ¿Quiénes ofrecen el mejor homenaje a su poesía?   (los jóvenes)
2. ¿Qué ofrecía a García Lorca una sensación poética?   (el paisaje andaluz)
3. ¿Quiénes ofrecían a García Lorca las inspiraciones para su poesía?   (los andaluces)
4. ¿Qué lugar ofreció al poeta el ambiente ideal para el poema "Paisaje"?   (el campo de olivos)
5. ¿Quién le ofreció al niño la naranja?   (su papá)

PREGUNTAS

1. ¿Cómo murió García Lorca?
2. ¿Qué efecto tuvo la aparición en la prensa de las palabras "García Lorca asesinado"?

3. ¿Cuáles son las diferentes versiones de la muerte de García Lorca?
4. ¿Cómo fue la actitud política de Lorca?
5. ¿Qué formas literarias tomó su crítica política?
6. ¿Cuál fue la intención de "La Barraca"? ¿Para qué clase social daba representaciones?
7. ¿Cuándo comenzó la Guerra Civil? ¿Cómo dividió la guerra a España?
8. ¿Qué significa la frase "fue llevado al paredón"?
9. ¿De dónde obtenía García Lorca la inspiración para su poesía?
10. En el poema "Paisaje", página 178, se siente la presencia de la muerte. ¿Qué palabras en el poema evocan este sentimiento de melancolía?

RECITACIÓN

Aprenda de memoria el poema "Despedida", página 178.

PROYECTOS INDIVIDUALES

Prepare una presentación de cinco minutos sobre el aspecto de García Lorca que le interese más —por ejemplo: su poesía; sus obras teatrales (sujetos, vestuario, actores, traducciones, etc.); su región de España (costumbres, trajes, historia, bailes, etc.); España en los años treinta (causas de la Guerra Civil, influencia de países extranjeros sobre ella, sus consecuencias); la visita de García Lorca a los Estados Unidos.

PUNTOS DE VISTA

Discuta en forma oral o escrita.

1. Un gran poeta ha muerto, pero todavía vive.
2. ¿Por qué cree usted que García Lorca, aunque él mismo dijo que no era político, llegue a ser símbolo de la injusticia de la Guerra Civil española?

NOTA:
Haremos excepción aquí
a los límites de vocabulario
de este libro para dar
dos ejemplos de los poemas
de García Lorca.

Paisaje

El campo
de olivos
se abre y se cierra
como un abanico.
Sobre el olivar
hay un cielo hundido
y una lluvia oscura
de luceros fríos.
Tiemblan junco y penumbra
a la orilla del río.
Se riza el aire gris.
Los olivos
están cargados
de gritos.
Una bandada
de pájaros cautivos,
que mueven sus larguísimas
colas en lo sombrío.

Despedida

Si muero,
dejad el balcón abierto.
El niño come naranjas.
(Desde mi balcón lo veo.)
El segador siega el trigo.
(Desde mi balcón lo siento.)
¡Si muero,
dejad el balcón abierto!

Picture Credits and Copyright Acknowledgments

Original illustrations and pictorial glosses by Ed Malsberg

Cover photo: Burk Uzzle, Magnum

2: Bernard P. Wolff, Photo Researchers
5, 6, 8: Felipe B. Chano
11: Loomis Dean, Time/Life Picture Agency, © Time, Inc.
12: James A. Sugar
15, 16: American Museum of Natural History
17: United Nations
18: Courtesy, The Art Institute of Chicago
22: Dan McCoy, Black Star
28: Micheal Kuh, Rapho/Photo Researchers
32, 34: Ken Karp
35: © Gilles Peress, Magnum
36: David Mangurian
39: Adapted from Albrecht Durer
47: Ursula Bernath, México, D.F.
50: Geoffrey Gove
54: Ernst Haas, Magnum
59, 61: George Silk, Time/Life Picture Agency
66, 67: Editorial Atlántida, S.A., Buenos Aires
71: Sheila Prentice, Time Magazine, © Time, Inc.
73: Victor Englebert
78: *Pueblo* Magazine, Costa Rica
81: Lillia Hernández, *El sol de México*
83: Associated Press
87, top: Harbrace
87, bottom: Sánchez Studios

88, 89: Harbrace
90, 91: Sánchez Studios
92: California Avocado Advisory Board
94: Katherine Young
96, 98: WHO
102: UPI
106: Marilu Pease, Monkmeyer
107: Russell A. Thompson, Taurus
108: Carl Frank, Photo Researchers
109: Mexican National Tourist Council
111, 115: RCA Records International
116: Burk Uzzle, Magnum
118, 120: © Sergio Larrain, Magnum
124: Katherine Young
126: Fushira, Monkmeyer
127: Marilu Pease, Monkmeyer
130: U.S. Department of Labor
132: U.S. Air Force, Nellis Base
134–37: Claudio de la Cadena, México, D.F.
139, 141: David Mangurian
144: United Fruit Co.
147: *La Prensa*
151, 153: Hank Walker, Time/Life Picture Agency, © Time, Inc.
158: *Cambio 16*, Madrid
165, 167–69: United Nations
173: Courtesy of Destino, Barcelona
178, 179: Klaus D. Francke from Peter Arnold

Vocabulario

The vocabulary contains all the words that appear in
the text except regular verb forms in the present tense.
Irregular verb forms are listed alphabetically, not under
the infinitive form. Irregular noun plurals are listed.
All adjectives appear in the masculine form.

The following abbreviations are used:

abbr	abbreviation
coll	colloquialism
cond	conditional
contr	contraction
f	feminine
f pl	feminine plural
fut	future
imp	imperative
imperf	imperfect
imperf subj	imperfect subjunctive
inf	infinitive
m	masculine
m f	masculine and feminine
m pl	masculine plural
pp	past participle
pluperf subj	pluperfect subjunctive
pres	present
pres part	present participle
pres perf	present perfect
pres perf subj	present perfect subjunctive
pres subj	present subjunctive
pret	preterit
sing	singular

a

a to; for; in; at; toward; from
abandonado (*pp of* **abandonar**)
abandoned
abandonar to abandon
abandonaron (*pret of* **abandonar**):
(**ellos**) **abandonaron** (they)
abandoned
abandonó (*pret of* **abandonar**): (**él**)
abandonó (he) abandoned
abanico *m* fan
abierto (*pp of* **abrir**) open
abrazar to embrace
abrazo *m* embrace, hug
abre (**tú**) (*imp of* **abrir**) (you) open
(**se**) **abre** (*pres of* **abrirse**) (it) opens
abril April
absoluto absolute
abstracto abstract
absurdo absurd, ridiculous
abuelo *m* grandfather
abundancia *f* abundance
abundar to be plentiful
abusar (**de**) to take advantage (of)
acabar to finish
acceso *m* access
acción, –iones *f* (*pl*) action(s)
aceituna *f* olive
acento *m* accent
aceptaba (*imperf of* **aceptar**): (**él**)
aceptaba (he) used to accept
aceptar to accept
acerca de about, concerning
(**se**) **acercó** (*pret of* **acercarse**): (**él**) **se**
acercó (he) drew near
ácido sour
acomodación accommodation
acompañar to accompany
acompañarán (*fut of* **acompañar**):
(**ellos**) **acompañarán** (they) will
accompany
acompañe (*pres subj of* **acompañar**)
(that he) accompany
acordarse de to remember
acostarse to go to bed
acreditar to accredit
actitud *f* attitude

actividad *f* activity
activo active
acto *m* act; action, deed
actor *m* actor
actrices (*sing* **actriz**) *f pl* actresses
actual present, current
actualmente at present, nowadays
actuar to perform
Acuario Aquarius
acuerdo *m* agreement
estar de acuerdo (**con**) to agree (with)
de acuerdo agreed
adaptación *f* adaptation
adaptar to adapt
a. de J. C. B. C.
(**se**) **adelantaron** (*pret of* **adelantarse**):
(**ellos**) **se adelantaron** (they) got
ahead
adelanto *m* advance, progress
además besides, moreover
adjetivo *m* adjective
administrar to administrate
admirar to admire
admitir to admit
adobe *m* adobe
adolescente *m* adolescent
adonde where
¿adónde? where?
adopción *f* adoption
adorar to worship
adulación *f* flattery, adulation
adulto *m* adult
adversario *m* adversary, opponent
aéreo air, aerial
aeropuerto *m* airport
afectar to affect
aficionado fond
afilado sharpened
afirmar to assert
África *f* Africa
agencia *f* agency
agente *m* agent
agitar(se) to shake (oneself)
agosto August
agradable agreeable, pleasant
agradecer to be grateful for
agradezco (*pres of* **agradecer**): **yo**
agradezco I am grateful for

agregue (usted) (*imp of* **agregar**) (you) add

agresividad *f* aggressiveness

agresivo aggressive

agrícola agricultural

agricultor *m* farmer

agrupar to group

agua *f* water

aguacate *m* avocado

agudo sharp

ahí there

ahora now

aire *m* air, wind

aislar to separate

ajustar to adjust

al (*contr of* **a** + **el**) to the; at the; into the

al + *inf* on, upon

alacrán *m* scorpion

alargar to stretch out

alarma *f* alarm

alarmar to alarm

alcanzar to reach

alcanzó (*pret of* **alcanzar**) (it) reached

alcohol *m* alcohol

alcohólico alcoholic

alegre gay, cheerful

alegría *f* joy, gaiety

Alejandría *f* Alexandria

alemán German

Alemania *f* Germany

alertar to alert

algo something

alguien somebody, someone

algún some; any

   algún tiempo sometime

alguno some; any

alimentación *f* nourishment, food

alimenticio nutritious

alimento *m* food

alma *f* soul, spirit

almohada *f* pillow

almuerzo *m* lunch

alpaca *m* alpaca (*sheeplike animal of the Andes region*)

alrededor around

alto high; tall; loud

altura *f* altitude

alumbrar to light

alumno *m* student

allí there

ama *f* mistress

   ama de casa housewife

amaba (*imperf of* **amar**): **yo amaba** I used to love

amabilidad *f* kindness

amar to love

ambiente *m* environment; atmosphere

ambos both

ame (usted) (*imp of* **amar**) (you) love

América *f* South America, North and South America

América Latina *f* Latin America

americano American

ametralladora *f* machine gun

amigo *m* friend

amor *m* love

amorío *m* love affair

anacronismo *m* anachronism

analfabetismo *m* illiteracy

análisis *m* analysis

analizar to analyze

ancestral ancestral

anciano old, elderly

andaba (*imperf of* **andar**): **yo andaba** I used to walk

andaluces (*sing* **andaluz**) *m pl* Andalusians

Andalucía *f* Andalusia

andando (*pres part of* **andar**) walking

andar to walk

angustia *f* anguish

animadamente animatedly

animado lively

animal *m* animal

ánimo *m* courage

aniversario *m* anniversary

anónimo *m* anonymous

ansiedad *f* anxiety

ansioso anxious

antepasado *m* ancestor

anterior previous; earlier; front

antes before

   antes de before (in time)

anticipar to anticipate

antiguo ancient, old

antónimo *m* antonym

anunciar to announce
anuncio *m* advertisement
anzuelo *m* fishhook
año *m* year
  a los pocos años in a few years
  a los setenta años at the age of seventy
  el año pasado last year
  tiene cinco años (he) is five years old
  todos los años every year
aparecer to appear
aparecieron (*pret of* aparecer): (ellos)
  aparecieron (they) appeared
apareció (*pret of* aparecer): (él) apareció
  (he) appeared
apartamento *m* apartment
aparte de aside
apasionado passionate
apenas scarcely, hardly
apetito *m* appetite
aplauso *m* applause
apreciablemente appreciably
apreciación *f* appreciation
apreciar to appreciate
aprenda (usted) (*imp of* aprender) (you)
  learn
aprender to learn
aprenderá (*fut of* aprender): (él)
  aprenderá (he) will learn
aprendido (*pp of* aprender) learned
  (él) ha aprendido (*pres perf of* aprender)
  (he) has learned
aprendió (*pret of* aprender): (él)
  aprendió (he) learned
apropiado appropriate
aprovechar to utilize
aproximadamente approximately
apuesta *f* bet
aquel that
aquello that
aquí here
árbitro *m* judge
árbol *m* tree
arbusto *m* shrub
área *f* (*geometrical*) area; plot of land
arena *f* sand
Argentina *f* Argentina
argentina Argentine
argumento *m* reasoning

Aries Aries
aristócrata *m f* aristocrat
aristocrático aristocratic
arma *f* weapon
  arma de fuego firearm
armonía *f* harmony
arqueología *f* archeology
arqueológico archeological
arqueólogo *m* archeologist
arreglar to arrange
arregle (usted) (*imp of* arreglar) (you)
  arrange
arrestado (*pp of* arrestar) arrested
  han arrestado (*pres perf of* arrestar):
  (ellos) han arrestado (they) have
  arrested
arrestar to arrest
arriesgado risky
arrogante arrogant; haughty
arte *m f* art
artesanía *f* craftmanship
artículo *m* article
artificial artificial
artista *m f* artist
artísticamente artistically
artístico artistic
asaltado attacked
ascender to climb
ascendiente *m* ancestor
ascenso *m* ascent; promotion
ascensor *m* elevator
ascensorista *f* elevator operator
asegurar to assure
asesinar to assassinate
asesinato *m* assassination
así thus, in this manner, like this
asiento *m* seat
asistentes *m pl* people attending
asistir to attend, go to; to assist, help
asistirán (*fut of* asistir): (ellos) asistirán
  (they) will assist, help
asociación *f* association
asociar to associate
aspecto *m* aspect
aspiración *f* aspiration
astro *m* star; heavenly body
astrología *f* astrology
astrólogo *m* astrologer

asustó (*pret of* **asustar**): (**él**) **asustó**   (he) frightened
atacar   to attack
atado (*pp of* **atar**)   tied (up)
  (**la pareja**) **fue atada**   (the couple) was tied up
ataque *m*   attack
ataque (**usted**) (*imp of* **atacar**)   (you) attack
Atenas   Athens
atención *f*   courtesy
atentamente   attentively
atento   attentive; courteous, polite
atleta *m*   athlete
atmósfera *f*   atmosphere
atracción *f*   attraction
atractivo   attractive
atraer   to attract
atrás   back; behind
atrasado   late; slow
atravesar   to cross
atribuir   to attribute
atril *m*   lectern
aumentar   to increase
aún   still, yet
  aún hoy   even today
aunque   though, although, even though
auquénido *m*   Andean animal (alpaca, llama, guanaco, and vicuña)
Austria *f*   Austria
auténtico   authentic
automático   automatic
autor *m*   author
autoridad *f*   authority
avance *m*   advance, progress
avanzar   to advance
avenida *f*   avenue
aventura *f*   adventure
aventurar   to venture, risk
aventurero   adventurous
avión, –iones *m* (*pl*)   airplane(s)
ayer   yesterday
ayuda *f*   help
ayudar   to help
ayudará (*fut of* **ayudar**): (**él**) **ayudará**   (he) will help
ayudarías (*cond of* **ayudar**): **tú ayudarías**   (you) would help

ayude (**usted**) (*imp of* **ayudar**)   (you) help
ayudó (*pret of* **ayudar**): (**él**) **ayudó**   (he) helped
azafata *f*   stewardess
azúcar *m*   sugar
azul   blue

b

bailar   to dance
bailarina *f*   dancer
baile *m*   dance
bajar   to lower
bajo   under; short; low
  bajo la dirección de   under the direction of
balcón *m*   balcony
banana *f*   banana
bandada *f*   flock of birds
banquete *m*   banquet
bañar   to bathe
báñelas (**usted**) (*imp of* **bañar**)   (you) bathe them
baño *m*   bath
  baño de burbujas   bubble bath
bañó (*pret of* **bañar**): (**él**) **bañó**   (he) bathed, washed
barato   cheap
bárbaro   barbarous, cruel
barco *m*   ship
basar (**en**)   to base one's opinion (on)
base *f*   base, basis
bastante   enough; rather
bastar   to suffice
basura *f*   garbage
bata (**usted**) (*imp of* **batir**)   (you) beat, whip
batalla *f*   battle
batido *m*   batter
batir   to beat, whip
bautista   Baptist
bebé *m*   baby
beber   to drink
bebida *f*   beverage
bebido (*pp of* **beber**)   drunk
  (**él**) **ha bebido**   (he) has drunk
beca *f*   scholarship
Bélgica *f*   Belgium

belicoso warlike
beligerancia *f* belligerency
belleza *f* beauty
bello beautiful, fair
beneficiar to benefit
Berna Bern
bestia *f* beast
biblioteca *f* library
bien well
bimórfico bimorphic (*having two forms*)
biológico biological
blanco white
blasfemar to swear
boca *f* mouth
boliviano Bolivian
bolsillo *m* pocket
bomba *f* bomb
bondad *f* kindness
bondadoso kind, good natured
Bonn Bonn
Bordeaux Bordeaux
borracho drunk
bosque *m* wood, forest
bota *f* boot
boxeador *m* boxer
boxear to box
boxeo *m* boxing
Brasil *m* Brazil
brazo *m* arm
brillante brilliant, bright
  poco brillante dull
británico British
broma *f* jest, joke
bronce *m* bronze
brusco abrupt; rude
brutalmente brutally
buen (*contr of* **bueno**) good; kind
burbuja *f* bubble
  baños de burbujas bubble baths
burgués bourgeois, middle-class
burla *f* jest; mockery
burrito *m* little donkey
busca *f* search
busca (tú) (*imp of* **buscar**) (you) look for
buscar to look for
busque (usted) (*imp of* **buscar**) (you)
  look for
búsqueda *f* search

C

caballo *m* horse
  montar a caballo to ride horseback
cabello *m* hair
cabeza *f* head
  estar a la cabeza (de) to be at the head
  (of)
cada each, every
cadáver *m* corpse
caer to fall
café *m* coffee
caja *f* box
calcular to calculate
calendario *m* calendar
calidad *f* quality
caliente hot
calificar to qualify
California *f* California
calma *f* calm, quiet
calmar to calm
calor *m* warmth
caloría *f* calorie
calle *f* street
cama *f* bed
cambiado (*pp of* **cambiar**) changed
  (él) ha cambiado (*pres perf of* **cambiar**)
  (he) has changed
cambiar to change
cambie (usted) (*imp of* **cambiar**) (you)
  change
cambio *m* exchange; change
  en cambio on the contrary
camello *m* camel
caminar to walk
camino *m* road; course
campanilla *f* bell
campero rustic
campesino *m* farmer; countryman;
  rustic
campo *m* field; countryside
Canadá *m* Canada
canal *m* channel
Cáncer Cancer
canción *f* song
candidato *m* candidate
cansado tired
cansancio *m* fatigue, weariness

cansar   to tire
  cansarse   to become tired
cantar   to sing
cantidad *f*   quantity
caña *f*   cane; reed
  caña de azúcar   sugar cane
  caña de pescar   fishing pole
capa *f*   cape
capacidad *f*   ability; capacity
capital *m*   capital (*money*)
capital *f*   capital (*city*)
capitalismo *m*   capitalism
Capricornio   Capricorn
capturar   to capture
cara *f*   face
carácter *m*   character
característica *f*   characteristic; trait
característico   characteristic
caracterizar   to characterize
carga *f*   burden
cargar   to load
Caribe *m*   Caribbean
caricatura *f*   cartoon
carísimo   very expensive
carne *f*   meat
carnero *m*   ram
carretera *f*   highway
carta *f*   letter
casa *f*   house; home
  casa de juego   gambling house
  en (*or* a) casa   at home
casado (*pp of* casar)   married
  me he casado (*pres perf of* casarse)
    I have married
(nos) casamos (*pret of* casarse): nosotros
    nos casamos   we got married
casarse (con)   to get married (to)
cáscara *f*   shell
(me) casé (*pret of* casarse): yo me casé   I
    got married
casi   almost
casino *m*   casino
casita *f*   small house
(se) casó (*pret of* casarse): (él) se casó
    (he) got married
caso *m*   case
  para el caso   in case
categoría *f*   category; rank

católico   Catholic
causa *f*   cause
causar   to cause
cautiverio *m*   captivity
cautivo *m*   captive
cayéndose (*pres part of* caerse)   falling
  down
cayeron (*pret of* caer): (ellos) cayeron
  (they) fell
cayó (*pret of* caer): (él) cayó   (he) fell
cebolla *f*   onion
celebrar   to celebrate
célebre   famous
cementerio *m*   cemetery
cemento *m*   cement
centavo *m*   cent
centígrado *m*   centigrade
centímetro *m*   centimeter
central   central
centro *m*   center; middle
Centroamérica *f*   Central America
cerámico   ceramic
cerca   near
  cerca de   near; nearly
ceremonia *f*   ceremony
cero *m*   zero
cerrar   to close
cerré (*pret of* cerrar): yo cerré   I closed
cerro *m*   hill
cerveza *f*   beer
cesar   to stop, cease
cielo *m*   sky
cien (*contr of* ciento)   one hundred
ciencia *f*   science
  ciencia-ficción *f*   science fiction
científico   scientific
ciento   one hundred
  doscientos   two hundred
  por ciento   percent
(se) cierra (*pres of* cerrar)   (it) closes
cierran (*pres of* cerrar): (ellos) cierran
  (they) close
cierre *m*   closing
ciertamente   certainly
cierto   true; certain
  lo cierto es   the fact is
cinco   five
cincuenta   fifty

cincuenta y cinco fifty-five
cincuenta y dos fifty-two
cincuenta y ocho fifty-eight
cine *m* movie
circular circular
círculo *m* club
circuló (*pret of* circular) (it) circulated
circunstancia *f* circumstance
cita *f* date
ciudad *f* city
ciudadano *m* citizen
civilización *f* civilization
civilizar to civilize
claramente clearly
clarín *m* bugle
claro clear; light
clase *f* class
  sala de clase schoolroom
clásico classical
clasificación *f* classification
clausura *f* closure
clérigo *m* cleric
clima *m* climate
club *m* club
cobre *m* copper
cocer to boil; to cook
cocina *f* kitchen; cuisine
coco *m* coconut
coche *m* car
  coche deportivo *m* sports car
coger to catch
cola *f* tail
colaborar to collaborate
colección *f* collection
colocar to put; to place
Colombia *f* Colombia
colombiano Colombian
colón *m* Costa Rican coin
colonia *f* colony
colonial colonial
color *m* color
colorido *m* color
columna *f* column
combate *m* combat, battle, fight
combatir to combat
combine (usted) (*imp of* combinar)
  (you) combine

comediante *m* actor, comedian
comencé (*pret of* comenzar): yo comencé
  I began
comentar to comment
comentario *m* commentary
comenzar to begin
comenzaron (*pret of* comenzar): (ellos)
  comenzaron (they) began
comenzó (*pret of* comenzar): (él)
  comenzó (he) began
comer to eat
comercial commercial
  marca comercial brand
cometer to commit
cómico comical, funny, amusing
comida *f* food, meal
comienza (*pres of* comenzar): (él)
  comienza (he) begins
comienzo *m* beginning
comienzo (*pres of* comenzar): yo
  comienzo I begin
como like; as; since
¿cómo? how?
cómodo comfortable
compañero *m* companion
  compañero de trabajo
  co-worker
compañía *f* company
  en compañía de with
comparable comparable
comparación *f* comparison
compasivo sympathetic
compatriota *m* fellow countryman
competir to compete
complementar to complement
completado (*pp of* completar)
  completed
  (él) ha completado (*pres perf of*
  completar) (he) has completed
completamente completely
completo complete
complicación *f* complication
complicado complicated
componer to compose
  componerse de to be composed of
compositor *m* composer (of music)
comprado (*pp of* comprar) bought

(él) ha comprado (*pres perf of* **comprar**) (he) has bought

comprar to buy, purchase

compraron (*pret of* **comprar**): **(ellos) compraron** (they) bought

comprender to understand

(él) haya comprendido (*pres perf subj of* **comprender**) (he) has understood

comprensión *f* comprehension

compró (*pret of* **comprar**): **(él) compró** (he) bought

comprobar to prove

compuesto (*pp of* **componer**) composed

computaban (*imperf of* **computar**): **(ellos) computaban** (they) used to compute

computar to compute

común common

comunicación *f* communication

comunicar to communicate

con with

  con que with which

concentración *f* concentration

concepto *m* concept

concibieron (*pret of* **concebir**): **(ellos) concibieron** (they) conceived

conciencia *f* consciousness; conscience

conclusión *f* conclusion

concordancia *f* agreement

concreto concrete

concha *f* seashell

conde *m* count

condición *f* condition

conducir to drive (an automobile)

conducta *f* conduct, behavior

conferencia *f* conference

confidencia *f* confidential information

confín *m* boundary

confirmaron (*pret of* **confirmar**): **(ellos) confirmaron** (they) confirmed

confirmativo confirming

conflictivo conflictive

conflicto *m* conflict

conformismo *m* conformism

confort *m* comfort, ease

confusión *f* confusion

conjunto *m* whole, entirety; range

conmigo with me

conocer to know; to become acquainted with

conocerá (*fut of* **conocer**): **(él) conocerá** (he) will know; will become acquainted with

conocí (*pret of* **conocer**): **yo conocí** I knew

conocía (*imperf of* **conocer**): **(él) conocía** (he) used to know

conocido well-known

conocimiento *m* knowledge

conquista *f* conquest

conquistador *m* conqueror

consciente conscious

consecuencia *f* consequence

conseguir to obtain

conseguirá (*fut of* **conseguir**): **(él) conseguirá** (he) will obtain

conservador conservative

conservar to conserve

conserve (*pres subj of* **conservar**) (that it) conserve

conservó (*pret of* **conservar**): **(él) conservó** (he) conserved

consideraban (*imperf of* **considerar**): **(ellos) consideraban** (they) used to consider

consideración *f* consideration

considerar to consider

consigo with himself

consistir (en) to consist (of)

consolidar to consolidate

constante constant

constantemente constantly

consternó (*pret of* **consternar**): **(él) consternó** (he) distressed

constituyen (*pres of* **constituir**): **(ellos) constituyen** (they) constitute

construcción *f* construction; building

construir to construct, build

construirán (*fut of* **construir**): **(ellos) construirán** (they) will build

consultar to consult

consumir to consume

consumo *m* consumption

contacto *m* contact

contar to count; to relate, tell

contaron (*pret of* **contar**): **(ellos) contaron** (they) told, related

contemplación *f* meditation

contemplar to contemplate

contemporáneo contemporary

contendiente *m* contestant

contenían (*imperf of* **contener**): **(ellos) contenían** (they) used to contain

contenido *m* content

contenido (*pp of* **contener**) contained

contento contented; happy

contestación *f* answer

contestar to answer, reply

conteste (usted) (*imp of* **contestar**) (you) answer

contesté (*pret of* **contestar**): **yo contesté** I answered

contiene (*pres of* **contener**): **(él) contiene** (he) contains

contienen (*pres of* **contener**): **(ellos) contienen** (they) contain

continente *m* continent

continuar to continue

continuo continuous

contra against

contrario opposite

contraste *m* contrast

contrato *m* contract

contribución *f* contribution

contribuir to contribute

contribuyó (*pret of* **contribuir**): **(él) contribuyó** (he) contributed

convencer to convince

convención *f* convention

convenga (*pres subj of* **convenir**) (it) is appropriate

conveniente suitable

conversación *f* conversation

conversar to converse

convertido (*pp of* **convertir**) converted **(él) ha convertido** (*pres perf of* **convertir**) (he) has converted

convertir to convert

convierta (usted) (*imp of* **convertir**) (you) convert

convierte (*pres of* **convertir**): **(él) convierte** (he) converts

convirtió (*pret of* **convertir**): **(él) convirtió** (he) converted

cooperativa *f* cooperative

copito de nieve *m* little snowflake

coraje *m* courage

corazón *m* heart

cordel *m* cord

corporación *f* corporation

correcto correct

correr to run

correspondencia *f* correspondence

corresponder to correspond, match

corrida de toros *f* bull fight

corrige (*pres of* **corregir**): **(él) corrige** (he) corrects

corrija (usted) (*imp of* **corregir**) (you) correct

cortar to cut

cortesía *f* courtesy, politeness

corto short

cosa *f* thing

coser to sew

costa *f* coast

costará (*fut of* **costar**) (it) will cost

costaría (*cond of* **costar**) (it) would cost

costo *m* cost

costumbre *f* custom

cotidiano daily

creador *m* creator

crear to create

crearon (*pret of* **crear**): **(ellos) crearon** (they) created

creatividad *f* creativity

crecer to grow

crecimiento *m* growth; expansion

creer to believe; to think

creí (*pret of* **creer**): **yo creí** I believed

crema *f* cream

creó (*pret of* **crear**): **(él) creó** (he) created

creyente *m* believer

creyó (*pret of* **creer**): **(él) creyó** (he) believed

crianza *f* breeding

criminal *m f* criminal

Cristo *m* Christ

Cristóbal Colón Christopher Columbus
crítica *f* criticism
crítico *m* critic
crítico critical
cruce *m* crossroad
cruces (*sing* **cruz**) *f pl* crosses
crucigrama *m* crossword puzzle
cruel cruel
cruzar to cross
cuadro *m* picture
cual which
¿cuál? what? which?
cuales which
¿cuáles? which ones?
cualidad *f* quality
cualquier anyone, any
cuando when
¿cuánto? how much? how many?
cuarenta forty
  cuarenta y cuatro forty-four
  cuarenta y dos forty-two
  cuarenta y ocho forty-eight
cuarto *m* room
cuatro four
cubierto (*pp of* **cubrir**) covered
cubismo *m* cubism
cubista *m f* cubist
cubrir to cover
cuchara *f* spoon
cuenta (*pres of* **contar**): (él) **cuenta** (he) relates, tells
cuente (usted) (*imp of* **contar**) (you) tell
cuento *m* story, tale
cuerpo *m* body
cuesta (*pres of* **costar**) (it) costs
cuidado *m* care
cuidadosamente carefully
cuidar to care for
culpable guilty
culto cultured
cultura *f* culture
cultural cultural
cuota *f* quota
cúpula *f* cupola, dome
curador *m* caretaker
curioso curious
curso *m* course (of study)
cuyo whose, of which

ch

cheque *m* check
chica *f* girl
chicano *m* Mexican-American
chico *m* child, youngster
chico small
chicha *f* popular alcoholic beverage
chichería *f* store where chicha is sold
Chile *m* Chile
chiste *m* joke
chocolate *m* chocolate

d

daban (*imperf of* **dar**): (ellos) **daban** (they) used to give
dado (*pp of* **dar**) given
  ha dado (*pres perf of* **dar**): (él) **ha dado** (he) has given
daño *m* harm
dar to give
  dar las gracias to thank
  darle los santos óleos to administer (to him) Extreme Unction (last rites)
  darse cuenta de (que) to realize (that)
dará (*fut of* **dar**): (él) **dará** (he) will give
d. de J. C. A. D.
de from; of; with; about; for; in; than
  de repente suddenly
dé (usted) (*imp of* **dar**) (you) give
debajo de under
debate *m* debate
debatir to debate
deber to owe; to have to
deberá (*fut of* **deber**): (él) **deberá** (he) will have to
debería (*cond of* **deber**): (él) **debería** (he) ought to, should, would have to
debían (*imperf of* **deber**): (ellos) **debían** (they) should
debido (*pp of* **deber**) had to
  (él) **ha debido** (*pres perf of* **deber**) (he) has had to
débil weak
decadencia *f* decadence
decidieron (*pret of* **decidir**): (ellos) **decidieron** (they) decided

decidir to decide
decidirá (*fut of* **decidir**): (**él**) **decidirá** (he) will decide
decir to say, tell; to speak
  es decir that is to say
decisión *f* decision
declarado (*pp of* **declarar**) declared
dedicó (*pret of* **dedicar**): (**él**) **dedicó** (he) devoted, dedicated
dedo *m* finger; toe
deducir to deduce
defender to defend
defensa *f* defense
defienda (**usted**) (*imp of* **defender**) (you) defend
defiende (*pres of* **defender**): (**él**) **defiende** (he) defends
definido definite
definitivamente definitely
definitivo conclusive; definitive
  en definitiva in conclusion
deformar to deform
degradar to degrade
dejaba (*imperf of* **dejar**): (**él**) **dejaba** (he) used to let; used to permit
dejad (**vosotros**) (*imp of* **dejar**) (you) permit
dejar to leave; to let, permit
  dejar de to stop
dejó (*pret of* **dejar**): (**él**) **dejó** (he) left
del (*contr of* **de** + **el**) of the; from the
delgado thin; skinny
delicado delicate; touchy
demás other
  los demás others; the others
demasiado too much
democrático democratic
demostración *f* demonstration
demostrar to demonstrate; to prove
demuestra (*pres of* **demostrar**) (it) demonstrates; proves
demuestre (**usted**) (*imp of* **demostrar**) (you) demonstrate
dentro inside
depender (**de**) to depend (on)
deporte *m* sport
deportivo sport; athletic
derecho right

desagradable unpleasant
desaparecer to disappear
desaparecido (*pp of* **desaparecer**) disappeared; hidden
  (**él**) **ha desaparecido** (*pres perf of* **desaparecer**) (he) has disappeared
desarrollar to develop
desarrollo *m* development
  en desarrollo under development
desayuno *m* breakfast
descansar to rest
descargar to discharge
descender to descend; to go down
descendiente *m f* descendant
descifrar to decipher
descifre (**usted**) (*imp of* **descifrar**) (you) decipher
desconocido unknown
describa (**usted**) (*imp of* **describir**) (you) describe
describir to describe
descripción *f* description
descubierto (*pp of* **descubrir**) discovered
descubrieron (*pret of* **descubrir**): (**ellos**) **descubrieron** (they) discovered
descubrimiento *m* discovery
descubrió (*pret of* **descubrir**): (**él**) **descubrió** (he) discovered
descubrir to uncover; to discover
desde since; from
deseable desirable
desear to want, desire
desembarcaron (*pret of* **desembarcar**): (**ellos**) **desembarcaron** (they) disembarked
desempeñar (**un papel**) to play (a role)
desengaño *m* disillusion
desenterrar to dig-up
deseo *m* desire, wish
desesperación *f* desperation
desheredado underprivileged
desierto *m* desert
desierto (*pp of* **desertar**) deserted
desilusión *f* disillusion; disappointment
deslumbrar to dazzle
desnivelar to make uneven

desolación *f* anguish

desorientar to confuse

despedida *f* farewell

despedido (*pp of* **despedir**) bid farewell
  (él) ha despedido (*pres perf of* **despedir**)
    (he) has bid farewell

despedirse (de) to take leave (of)

despertar to wake up

desperté (*pret of* **despertar**): **yo desperté**
  I awakened, woke up

después later, then
  después de after

destacarse to stand out

destrucción *f* destruction

destruido (*pp of* **destruir**) destroyed

detener to detain

determinar to determine

determinó (*pret of* **determinar**): **(él)**
    determinó (he) determined

detrás (de) behind

día *m* day
  al día per day
  hoy día nowadays
  todo el día all day long
  todos los días every day

diariamente daily

diario *m* newspaper; diary

dibujar to sketch

dice (*pres of* **decir**): **(él) dice** (he) says

diciembre December

diecinueve nineteen

dieciocho eighteen

dieciséis sixteen

diecisiete seventeen

diente *m* tooth
  ojo por ojo y diente por diente an eye
    for an eye and a tooth for a tooth

dieta *f* diet

diez ten
  el diez por ciento ten percent

diferencia *f* difference

diferente different

difícil difficult

dificultad *f* difficulty

diga (usted) (*imp of* **decir**) (you) say; tell

dignidad *f* dignity

digno worthy; honorable

digo (*pres of* **decir**): **yo digo** I say

dijeron (*pret of* **decir**): **(ellos) dijeron**
  (they) said

dijiste (*pret of* **decir**): **tú dijiste** you said

dijo (*pret of* **decir**): **(él) dijo** (he) said

dilema *m* dilemma

dimensión *f* dimension

dílo (tú) (*imp of* **decir**) (you) tell it

Dinamarca *f* Denmark

dinamita *f* dynamite

dinero *m* money

dio (*pret of* **dar**): **(él) dio** (he) gave

dios *m* god

diplomático diplomatic

dirás (*fut of* **decir**): **tú dirás** you will say

dirección *f* direction; trend; guidance;
  address; advice
  bajo la dirección under the direction

directamente directly

director *m* director; editor (of a
  newspaper)

dirigente *m* leader

dirigieron (*pret of* **dirigir**): **(ellos)**
    dirigieron (they) directed

dirigir to direct; to command

disco *m* record

discriminación *f* discrimination

discriminatorio discriminatory

discurso *m* speech

discusión *f* discussion

discuta (usted) (*imp of* **discutir**) (you)
  discuss

discutían (*imperf of* **discutir**): **(ellos)**
    discutían (they) used to discuss

discutir to discuss

diseminar to spread

diseño *m* design

disfrutar to enjoy; to benefit by

disputa *f* dispute

disputar to dispute

distancia *f* distance

distinción *f* distinction

distinguir to distinguish

distinto different

distribución *f* distribution

distribuidor *m* distributor

distribuir to distribute

distribuye (*pres of* **distribuir**): **(él)**
    distribuye (he) distributes

distrito *m* district
diversión *f* amusement
diverso different
(se) divertía (*imperf of* **divertirse**): **(él) se
  divertía** (he) used to have a good
  time
divertido amusing
divertir to amuse
  divertirse to have a good time; to
  enjoy oneself
dividir to divide
(se) divierten (*pres of* **divertirse**): **(ellos)
  se divierten** (they) have a good
  time
divino divine
  (El) Divino the Divine One
(se) divirtieron (*pret of* **divertirse**): **(ellos)
  se divirtieron** (they) had a good
  time
división *f* division
(me) divorcié (*pret of* **divorciarse**): **yo me
  divorcié** I was divorced
divorcio *m* divorce
doble double
doctor *m* doctor (*academic*)
documento *m* document
dólar *m* dollar
dolor *m* pain; grief
domesticar to domesticate
domesticaron (*pret of* **domesticar**): **(ellos)
  domesticaron** (they) domesticated
dominado (*pp of* **dominar**) mastered
  (él) ha dominado (*pres perf of*
  dominar) (he) has mastered
dominante domineering
dominar to master; to dominate
dominarán (*fut of* **dominar**): **(ellos)
  dominarán** (they) will dominate
domingo *m* Sunday
donde where
¿dónde? where?
dorado golden
dormir to sleep
dormirá (*fut of* **dormir**): **(él) dormirá**
  (he) will sleep
dormitorio *m* bedroom
dos two
drama *m* drama

dramático dramatic
droga *f* drug
dromedario *m* dromedary
duda *f* doubt
dudar to doubt
duerme (*pres of* **dormir**): **(él) duerme**
  (he) sleeps
dulce *m* candy
dulce sweet
duquesa *f* duchess
duración *f* duration
durante during
durar to last; to endure
duraron (*pret of* **durar**): **(ellos) duraron**
  (they) lasted
duro hard; cruel
duró (*pret of* **durar**) (it) lasted

e

e and (*before words beginning with* i *or* y)
economía *f* economy
económico economic
ecuador *m* equator
Ecuador *m* Ecuador
ecuatorial equatorial
edad *f* age
edificio *m* building
editor *m* publisher
editorial *f* publishing house; publishing
educación *f* education
educado educated
educar to educate
efectivo effective
efecto *m* effect
Egipto *m* Egypt
egoísmo *m* selfishness
egoísta selfish; egotistical
ejecutar to execute
ejemplar *m* pattern; sample
ejemplo *m* example
ejercicio *m* exercise
el *m* the
  el de that of
  el que (that) which
él he
  él mismo (he) himself
elaborar to elaborate

elección *f* election
electricidad *f* electricity
electricista *m* electrician
eléctrico electric(al)
electrónica *f* electronics
elegancia *f* elegance
elegante elegant
elegir to choose
elemento *m* element
elevación *f* height
elevado (*pp of* elevar) raised
elevar to elevate, raise
   elevarse to take off, ascend
eliminación *f* elimination
ella she
   ella misma (she) herself
ello it
ellos they
emergencia *f* emergency
emigración *f* emigration
emigrante *m f* emigrant
emigrar to emigrate
emoción *f* emotion
empecé (*pret of* empezar): yo empecé I
   began
emperador *m* emperor
empezaban (*imperf of* empezar): (ellos)
   empezaban (they) used to begin
empezamos (*pret of* empezar): nosotros
   empezamos we began
empezar to begin
empezaron (*pret of* empezar): (ellos)
   empezaron (they) began
empezó (*pret of* empezar): (él) empezó
   (he) began
empiece (*pres subj of* empezar) (that he)
   begin
empieza (*pres of* empezar): (él) empieza
   (he) begins
empiezan (*pres of* empezar): (ellos)
   empiezan (they) begin
empleado *m* employee
emplear to use
empleo *m* job
empresario *m* manager
en in, into; on; at
enamorado in love
encantado delighted

encantado de haberlo conocido
   delighted to have met you
encerraban (*imperf of* encerrar): (ellos)
   encerraban (they) used to contain
encerrar to contain
encima over
encontrado (*pp of* encontrar) found
   (él) ha encontrado (*pres perf of*
   encontrar) (he) has found
encontramos (*pret of* encontrar): nosotros
   encontramos we found
encontrar to find; to meet
encontraron (*pret of* encontrar): (ellos)
   encontraron (they) found
encontré (*pret of* encontrar): yo encontré
   I found; met
encontró (*pret of* encontrar): (él) encontró
   (he) found
encuentra (*pres of* encontrar): (él)
   encuentra (he) finds
encuentro *m* encounter
enemigo *m* enemy
enérgico energetic
enero January
enfermedad *f* disease
enfermera *f* nurse
enfermo sick, ill; dim light
enfriar to cool
enorme enormous
enriquecido enriched
enseñanza *f* education
enseñar to teach
entiende (*pres of* entender): (él) entiende
   (he) understands
enterrar to bury
entonces then
entrar to enter
entraron (*pret of* entrar): (ellos) entraron
   (they) entered
entre among, between
entrega *f* presentation
entrenador *m* trainer
entrenamiento (*coll*) *m* training
entrenar (*coll*) to train
entrevista *f* interview
entró (*pret of* entrar): (él) entró (he)
   entered
entusiasmado enthusiastic

entusiasmar to excite, enthuse
entusiasmo *m* enthusiasm
enviar to send
enviaron (*pret of* enviar): (ellos) enviaron
   (they) sent
envidia *f* envy
envolver to wrap
envuelto (*pp of* envolver) wrapped
envuélvelas (tú) (*imp of* envolver) (you)
   wrap them
episodio *m* episode
época *f* era
equilibrio *m* equilibrium, balance
equivalente equivalent
equivaler to be equivalent
equivocarse to be mistaken
era *f* era, áge
era (*imperf of* ser): (él) era (he) used to
   be
eres (*pres of* ser): tú eres you are
erradicar to eradicate
es (*pres of* ser): (él) es (he) is
esa *f* that
escala *f* step
escalera *f* stairs, staircase
escapaba (*imperf of* escapar): (él)
   escapaba (he) escaped; ran away
escapado (*pp of* escapar) escaped
  (él) ha escapado (*pres perf of* escapar)
   (he) has escaped
escapar(se) to escape; to run away
escaparé (*fut of* escapar): yo escaparé I
   will escape
escapaste (*pret of* escapar): tú escapaste
   you ran away
escapó (*pret of* escapar): (él) escapó
   (he) ran away
escena *f* stage; scene
escéptico *m* skeptic
escoger to choose
escogido (*pp of* escoger) chosen
  (él) ha escogido (*pres perf of* escoger)
   (he) has chosen
escolar scholastic
esconder to conceal, hide
Escorpión Scorpio
escriba (usted) (*imp of* escribir) (you)
   write

escribió (*pret of* escribir): (él) escribió
   (he) wrote
escribir to write
escrito (*pp of* escribir) written
  (él) ha escrito (*pres perf of* escribir)
   (he) has written
escritor *m* writer
escuela *f* school
  escuela superior high school
escultor *m* sculptor
escultura *f* sculpture
ese *m* that
esencia *f* essence
esencial essential
esfuerzo *m* effort
eso that
esos those
espacio *m* space
España *f* Spain
español *m* Spaniard
español Spanish
especial special
especialista *m f* specialist
especialización *f* specialization
especializar to specialize
especialmente especially
especie *f* species; kind
específicamente specifically
específico specific
espectáculo *m* spectacle, show
espectador *m* spectator
esperaba (*imperf of* esperar): (él) esperaba
   (he) used to wait (for)
esperanza *f* hope
esperar to wait (for); to hope
  esperar que sí to hope so, hope it is
espíritu *m* spirit
espiritual spiritual
espolón *m* spur
espontaneidad *f* spontaneity
esposa *f* wife
esposo *m* husband
esqueleto *m* skeleton
esquema *m* scheme
esta this
ésta this one; the latter
estaba (*imperf of* estar): (él) estaba (he)
   used to be

estábamos (*imperf of* **estar**): **nosotros estábamos**   we used to be
establecer   to establish
establecimiento *m*   establishment
estación *f*   station
estadística *f*   statistics
estado *m*   state; condition
estado (*pp of* **estar**)   been
   (él) ha estado (*pres perf of* **estar**)   (he) has been
Estados Unidos *m pl*   United States
estallar   to explode
estalló (*pret of* **estallar**)   (it) exploded
estaño *m*   tin
estar   to be
estará (*fut of* **estar**): **(él) estará**   (he) will be
estatura *f*   stature, height
este *m*   east
este   this
éste   this one
estilo *m*   style
estimar   to value; to esteem
estimular   to stimulate
estímulo *m*   stimulation
esto   this
Estocolmo   Stockholm
estómago *m*   stomach
estoy (*pres of* **estar**): **yo estoy**   I am
estrella *f*   star
estructura *f*   structure
estudiante *m f*   student
estudiar   to study
estudiará (*fut of* **estudiar**): **(él) estudiará**   (he) will study
estudié (*pret of* **estudiar**): **yo estudié**   I studied
estudio *m*   study; studio
estúpido   stupid
estuvieron (*pret of* **estar**): **(ellos) estuvieron**   (they) were
estuvo (*pret of* **estar**): **(él) estuvo**   (he) was
etcétera (*abbr* **etc.**)   et cetera
etéreo   heavenly
eterno   eternal
etnólogo *m*   ethnologist
Europa *f*   Europe

europeo   European
evasión *f*   evasion
evidencia *f*   evidence
evidente   evident
evitar   to avoid
evitó (*pret of* **evitar**): **(él) evitó**   (he) avoided
evocar   to evoke
evolución *f*   evolution
evolucionar   to evolve
exactamente   exactly
exactitud *f*   exactness
exacto   exact; precise
exaltación *f*   exaltation
examen *m*   examination
examinar   to examine
excavación *f*   excavation
exceder   to exceed
excelente   excellent
excentricidad *f*   eccentricity
excéntrico   eccentric
excepción *f*   exception
excepcional   exceptional, unusual
exceptuar   to except, exempt
exceso *m*   excess
excitante   exciting
excitar(se)   to become excited
exclusiva *f*   exclusive right
exhibición *f*   exhibition
exilio *m*   exile
existía (*imperf of* **existir**)   (it) used to exist
existió (*pret of* **existir**)   (it) existed
existir   to exist
éxito *m*   success
expandir(se)   to spread
expectación *f*   expectation
expedición *f*   expedition
experiencia *f*   experience
experto *m*   expert
experto   expert
explicar   to explain
explicarán (*fut of* **explicar**): **(ellos) explicarán**   (they) will explain
explique (usted) (*imp of* **explicar**)   (you) explain
explosión *f*   explosion
explosivo   explosive

expresaban (*imperf of* **expresar**): (ellos)
    expresaban (they) used to express
expresar(se) to express (oneself)
expresión *f* expression
expresó (*pret of* **expresar**) (it) expressed
exquisito exquisite; delicious
extender to spread
exterior *m* exterior; outward
    appearance
exteriormente outwardly
extienden (*pres of* **extender**): (ellos)
    extienden (they) extend
extinción *f* extinction
extinto extinct
extra extra
extraer to extract
extranjero *m* foreign land
extranjero foreign
extraño strange
extraordinario extraordinary
  horas extraordinarias overtime
extravagancia *f* extravagance
extravagante eccentric; unusual
extremadamente extremely
Extrema Unción *f* Extreme Unction
extremo extreme

f

fábrica *f* factory
fabricante *m* manufacturer
fabricar to make, manufacture; to
    fabricate, devise
fabuloso fabulous
fácil easy
facilidad *f* ease
fácilmente easily
factor *m* factor
Fahrenheit Fahrenheit
falso false
falta *f* lack; absence
faltaba (*imperf of* **faltar**) (it) used to lack
fama *f* fame
familia *f* family
familiar familiar; domestic
familiarizar(se) to become familiar
    (with)
famoso famous

fantasía *f* imagination
farero *m* lighthouse keeper
faro *m* lighthouse
fatiga *f* fatigue, weariness
fatigar to tire
favorable favorable
favorecido (*pp of* **favorecer**) favored
  (él) ha favorecido (*pres perf of*
    favorecer) (he) has favored
febrero February
fecha *f* date
federal federal
felicitación *f* congratulations
feliz happy
femenino feminine
feminista *f* feminist
fenómeno *m* phenomenon
feo ugly
fermentar to ferment
ferozmente fiercely
fertilizante *m* fertilizer
fibra *f* fiber
ficción *f* fiction
  ciencia-ficción *f* science fiction
fiebre *f* fever
fiesta *f* holiday
  los días de fiesta holidays
figura *f* figure
fijar to establish; to fix
filosofía *f* philosophy
fin *m* end; intention
  fin de semana *m* weekend
finalizar to end
finalmente finally; in the end
finanzas *f pl* government funds
fino fine
físico physical
flor *f* flower
Florida *f* Florida
flota *f* fleet
forma *f* form; method; manner
formación *f* formation
formado (*pp of* **formar**) formed
formalidad *f* formality
formar to form
forme (usted) (*imp of* **formar**) (you) form
fórmula *f* formula
fortuna *f* fortune

forzar   to force
fósforo *m*   phosphorus
foto (*coll*) *f*   photograph
fotografía *f*   photograph
fracturar   to fracture
fragmento *m*   fragment
francés *m*   French (*language*)
francés   French
Francia *f*   France
franco   frank, open
frecuencia *f*   frequency
  con frecuencia   frequently
frecuentemente   frequently
frente *m*   front
  en frente de   in front of
  frente a   facing
fresco   fresh
frío *m*   cold (*temperature*)
frío   cold; indifferent
frivolidad *f*   frivolity
frontera *f*   frontier, border
fruta *f*   fruit
fue (*pret of* ir): (él) fue   (he) went
fue (*pret of* ser): (él) fue   (he) was
fuera   outside
  fuera de   outside of
fueron (*pret of* ir): (ellos) fueron
  (they) went
fueron (*pret of* ser): (ellos) fueron
  (they) were
fuerte   strong
fuerza *f*   force; power
  Fuerza Aérea *f*   Air Force
fui (*pret of* ir): yo fui   I went
fui (*pret of* ser): yo fui   I was
funcionar   to function
fundamental   fundamental
fundamentalmente   fundamentally
fusilar   to shoot
futuro *m*   future

g

gaceta *f*   gazette
Galicia *f*   Galicia
gallera *f*   cockfight ring
gallo *m*   rooster
gana *f*   desire

ganaba (*imperf of* ganar): (él) ganaba
  (he) used to earn
ganar   to earn; to win
ganaron (*pret of* ganar): (ellos) ganaron
  (they) won
ganó (*pret of* ganar): (él) ganó   (he) won
garrote *m*   club, bludgeon
gasolina *f*   gasoline
gastar   to waste; to spend
gasto *m*   expense
gaviota *f*   seagull
Géminis   Gemini
general *m*   general
general   general
generosidad *f*   generosity
generoso   generous
gente *f*   people
geografía *f*   geography
geográfica   geographic
gesto *m*   gesture
gloria   glory
gobernación *f*   (*local*) governing
gobernar   to govern
gobierno *m*   government
golfo *m*   gulf
  golfo de León   Gulf of Lions (*between
    Spain and France*)
  golfo de México   Gulf of Mexico
golpe *m*   blow; hit
gordo   fat
gorila *m*   gorilla
gozar   to enjoy
grababa (*imperf of* grabar): (él) grababa
  (he) used to record
grabar   to record
grabó (*pret of* grabar): (él) grabó   (he)
  recorded
gracias *f*   thanks
graderías *f pl*   bleachers
grado *m*   degree
graduar(se)   to graduate
gramo *m*   gram
gran (*contr of* grande)   great; large
Gran Bretaña *f*   Great Britain
grande   large; great
grandeza *f*   greatness; grandeur
grasa *f*   fat, grease
  grasa vegetal *f*   vegetable fat

gratis gratis, free
gratitud *f* gratitude
grave serious
Grecia *f* Greece
gris *m* grey
gritar to shout
grito *m* shout, cry
grosor *m* thickness
grupo *m* group
guanaco *m* guanaco (*type of llama*)
guardar to keep; to guard
Guatemala *f* Guatemala
guatemalteco Guatemalan
gubernativo governmental
guerra *f* war
   Guerra Civil Civil War
guitarra *f* guitar
gustaba (*imperf of* **gustar**) (it) used to be
   pleasing
gustar to be pleasing
gustará (*fut of* **gustar**) (it) will please
gusto *m* pleasure; taste

h

haber (*auxiliary*) to have
había (*imperf of* **haber**) there was; there
   were; (he) had
habitaban (*imperf of* **habitar**): (ellos)
   habitaban (they) inhabited
habitación *f* dwelling
habitante *m* inhabitant
habitual customary
hablaba (*imperf of* **hablar**): (él) **hablaba**
   (he) used to talk
hablar to talk; to speak
hablé (*pret of* **hablar**): yo **hablé** I spoke
habló (*pret of* **hablar**): (él) **habló** (he)
   spoke
habrá (*fut of* **haber**) there will be
hacer to make; to do
   desde hace muchos años many years
     ago
   hace algunos años some years ago
   hace dos semanas two weeks ago
   hace pocos años a few years ago
   hace poco tiempo a little while ago
   hace un tiempo some time ago

   hace veinte siglos twenty centuries
     ago
   ya hace muchos años que for many
     years
   hacer daño to harm; to hurt
   hacer una pregunta to ask a question
hacerse to become; to grow
hacia toward
hacía (*imperf of* **hacer**): (él) **hacía** (he)
   was doing
(se) hacía (*imperf of* **hacerse**): (él) se **hacía**
   (he) became
haga (usted) (*imp of* **hacer**) (you) make,
   do
hago (*pres of* **hacer**): yo **hago** I make
hallar to find
hallaron (*pret of* **hallar**): (ellos) **hallaron**
   (they) found
halle (usted) (*imp of* **hallar**) (you) find
halló (*pret of* **hallar**): (él) **halló** (he)
   found
hambre *f* hunger
   tener hambre to be hungry
han (*pres of* **haber**): (ellos) **han** (they)
   have
hará (*fut of* **hacer**): (él) **hará** (he) will
   make
haría (*cond of* **hacer**): (él) **haría** (he)
   would do
has (*pres of* **haber**): tú **has** you have
hasta till, up to; even
   hasta hoy so far
   hasta que until
hay (*pres of* **haber**) there is, there are
   hay que + *inf* it is necessary
he (*pres of* **haber**) I have
hecho (*pp of* **hacer**) made; done
   (él) ha hecho (*pres perf of* **hacer**) (he)
     has done
helado *m* ice cream
helado icy
heredar to inherit
herido (*pp of* **herir**) wounded
hermana *f* sister
hermano *m* brother
   hermanito little brother
hermoso beautiful
héroe *m* hero

heroína *f*   heroine
híbrido *m*   hybrid
hice (*pret of* **hacer**): **yo hice**   I made
hicieron (*pret of* **hacer**): (**ellos**) **hicieron**
    (they) made
hierro *m*   iron
higiénico   hygienic
hijo *m*   son; child
hipocresía *f*   hypocrisy
hipódromo *m*   hippodrome
hispánico   Hispanic
Hispanoamérica   Spanish America
hispanoamericano   Spanish American
historia *f*   history; story, tale
histórico   historical
historieta-enigma *f*   enigma; mystery
    story
hizo (*pret of* **hacer**): (**él**) **hizo**   he made
hogar *m*   home
hola   hello
Holanda *f*   Holland
hombre *m*   man
    hombre de negocios   businessman
hombro *m*   shoulder
homenaje *m*   honor; homage
hondo   deep
honor *m*   honor
hora *f*   hour
horario *m*   schedule
horno *m*   oven
horóscopo *m*   horoscope
hospital *m*   hospital
hospitalario   hospitable
hotel *m*   hotel
hoy   today
    hoy día   nowadays
Huacaya *f*   Huacaya
hubo (*pret of* **haber**)   there was, there
    were
huérfano *m*   orphan
hueso *m*   bone
huesudo   bony
huevo *m*   egg
    huevo duro   hard-boiled egg
huían (*imperf of* **huir**): (**ellos**) **huían**
    (they) used to flee
huída *f*   escape
huir   to flee, escape; to run away

humanidad *f*   humanity
humano *m*   human
humano   human
húmedo   damp, wet
humilde   humble
humor *m*   humor
humorismo *m*   humorous (*literary*) style
hundimiento *m*   sinking
hundir   to submerge; to hide
huyen (*pres of* **huir**): (**ellos**) **huyen**
    (they) flee
huyeron (*pret of* **huir**): (**ellos**) **huyeron**
    (they) fled

i

iba (*imperf of* **ir**) (**él**) **iba**   (he) used to go
íbamos (*imperf of* **ir**): **nosotros íbamos**
    we used to go
Iberia *f*   Iberia
idea *f*   idea
ideal   ideal
identificar   to identify
identifique (**usted**) (*imp of* **identificar**)
    (you) identify
ideología *f*   ideology
ideológico   ideological
ídolo *m*   idol
igual   equal
igualmente   likewise
ilegal   illegal
ilegítimo   illegitimate
ilustración *f*   illustration
ilustrar   to illustrate
imagen *f*   image
imaginabas (*imperf of* **imaginar**): **tú**
    imaginabas   you used to imagine
imaginación *f*   imagination
imaginar   to imagine
impenetrable   impenetrable
imperativo   imperative; urgent
imperfecto *m*   imperfect
imperio *m*   empire
impide (*pres of* **impedir**): (**él**) **impide**
    (he) prevents
implicación *f*   implication
implicar   to implicate
imponer   to impose

imponer(se)   to dominate
importado (*pp of* importar)   imported
importancia *f*   importance
importante   important
importar   to import
imposible   impossible
impregnar   to saturate
impresionismo *m*   impressionism
impresionista *m f*   impressionist
improvisar   to improvise
impuesto *m*   tax
inclinación *f*   inclination; tendency
incluso   even
incluye (*pres of* incluir)   (it) includes
incluyendo (*pres part of* incluir)
   including
inconsciente   unconscious
incrementar   to increase
independencia *f*   independence
independiente   independent
indicar   to indicate
indígeno   native
indigente   poor, needy
indignar   to irritate
indio *m*   Indian
indique (usted) (*imp of* indicar)   (you)
   indicate
indirectamente   indirectly
indispensable   indispensable
individual   individual
individualidad *f*   individuality
indolente   lazy, indolent
inesperadamente   unexpectedly
inevitable   inevitable
inferior   inferior
inferioridad *f*   inferiority
influencia *f*   influence
influenciado (*pp of* influenciar)
   influenced
información *f*   information
informó (*pret of* informar): (él) informó
   (he) informed
infracción *f*   infraction
ingeniería *f*   engineering
ingeniero *m*   engineer
ingenioso   ingenious; clever
Inglaterra *f*   England

inglés *m*   English (*language*)
ingresar   to enter
ingreso *m*   receipt, profit, revenue
iniciar   to initiate; to begin
inició (*pret of* iniciar): (él) inició   (he)
   initiated
injusticia *f*   injustice
injustificado   unjustified
inmediato   immediate
inmediatamente   immediately, at once
inmerso   immersed
innumerable   innumerable
inocente   innocent
inolvidable   unforgettable
inquietar   to worry
inquieto   uneasy, anxious; worried
insecto *m*   insect
inseguro   insecure
inseminación *f*   insemination
insignificancia *f*   insignificance
insistencia *f*   insistence
insistir   to insist
insomnio *m*   insomnia, sleeplessness
inspector *m*   inspector
inspiración *f*   inspiration
inspirar   to inspire
instalación *f*   installation
instalar   to install
   instalarse   to settle
(se) instaló (*pret of* instalarse): (él) se
   instaló   (he) settled
institución *f*   institution
instituto *m*   institute
instrucción *f*   instruction; education
insurgente   insurgent
integración *f*   integration
intelectual   intellectual
inteligencia *f*   intelligence
inteligente   intelligent
intención *f*   intention
intensivo   intensive
intentar   to attempt; to intend
interés *m*   interest
interesante   interesting
interesar   to interest
interior *m*   interior
interiormente   inwardly

internacional   international
interpretación *f*   interpretation
interpretado (*pp of* interpretar)
    interpreted
  (él) ha interpretado (*pres perf of*
    interpretar)   (he) has interpreted
interpretar   to interpret
interrogado *m*   person under
    interrogation
interrogador *m*   interrogator
interrogatorio *m*   interrogation
interrumpir   to interrupt
intervención *f*   intervention
intervenir   to intervene
íntimo   intimate
intriga *f*   intrigue
introducir   to introduce
inútil   useless
invención *f*   invention
inventar   to invent
inventaron (*pret of* inventar): (ellos)
    inventaron   (they) invented
investigación *f*   investigation
investigador *m*   investigator
investigar   to investigate
invierno *m*   winter
invitación *f*   invitation
invitado *m*   guest
invitar   to invite
ir(se)   to go (away)
irás (*fut of* ir): tú irás   you will go
Italia *f*   Italy
izquierdo   left

j

¡ja! ¡ja! ¡ja!   ha! ha! ha!
jamás   never; ever
jamón *m*   ham
jardín *m*   garden
jaula *f*   cage
jefe *m*   chief; leader; boss
jeroglífico *m*   hieroglyph
jeroglífico   hieroglyphical
jipi *m*   hippy
joven *m f*   young person
joven   young

joya *f*   jewel
jubiloso   jubilant
juegan (*pres of* jugar): (ellos) juegan
    (they) play
juego *m*   game; gambling
  casa de juego   gambling house
juez *m*   judge
jugador *m*   gambler; player
jugar   to play
jugo *m*   juice
juicio *m*   trial
julio   July
junco *m*   rush; reed
junio   June
junto   next to, together
justificado (*pp of* justificar)   justified
juventud *f*   youth

k

kilo *m*   kilo, kilogram
kilómetro *m*   kilometer

l

la *f*   the
  la de   that of
  la que   the one who (that)
la   (to) her; it
labor *f*   work
labrar   to cultivate
lado *m*   side
  al lado de   beside
lago *m*   lake
lamentar   to lament
lámpara *f*   lamp
lana *f*   wool
lancha *f*   boat
lanzar   to throw
largo   long
larguísimo   very long
lata *f*   tin
latinoamericano   Latin American
lavaplatos *m*   dishwasher
le   (to) him, her, it
lea (usted) (*imp of* leer)   (you) read
leal   loyal

lector *m* reader
lectura *f* reading
leche *f* milk
lechero milky
  vaca lechera milk cow
leer to read
legalidad *f* legality
legar to bequeath
legendario legendary
leí (*pret of* leer): yo leí I read
lejos far
  a lo lejos in the distance
  más lejos farther
lengua *f* language; tongue
lentamente slowly
lento slow
leña *f* firewood
Leo Leo
les (to) them
letra *f* letter (*of the alphabet*)
levantar to raise
  levantarse ⋅ to rise; to stand
ley *f* law
leyó (*pret of* leer): (él) leyó (he) read
liberación *f* liberation
liberado (*pp of* liberar) liberated
liberar to liberate
libertad *f* liberty; freedom
  en libertad free
libra *f* pound
Libra Libra
libre free
librería *f* bookstore
librero *m* bookseller
libro *m* book
ligero light (*weight*)
limitar to limit
límite *m* boundary; limit
limón *m* lemon
limpio clean
lindo pretty
línea *f* line
líquido *m* liquid
lista *f* list
listo ready; clever
  estar listo to be ready
literario literary
literatura *f* literature

lo the (*before an adjective*)
  lo bello the beautiful
lo (to) him, it
  lo que what
local *m* place
local local
lograron (*pret of* lograr): (ellos) lograron (they) succeeded
lona *f* canvas
lucero *m* bright star
lucha *f* fight; struggle
luchaba (*imperf of* luchar): (él) luchaba (he) used to fight
luchábamos (*imperf of* luchar): nosotros luchábamos we used to fight
luchado (*pp of* luchar) fought
  (él) ha luchado (*pres perf of* luchar) (he) has fought
luchador *m* fighter
luchar to fight, struggle
luché (*pret of* luchar): yo luché I fought
luego then
lugar *m* place; town
  en lugar de instead of
lujo *m* luxury
lujoso luxurious
luminosidad *f* luminosity
luminoso luminous
luna *f* moon
Luxemburgo *m* Luxemburg
luz *f* light
  luz de vela candlelight

ll

llama *f* llama
(se) llamaba (*imperf of* llamarse): (él) se llamaba (he) was named; (he) was called
llamado (*pp of* llamar) called
  (él) ha llamado (*pres perf of* llamar) (he) has called
llamar to call
  llamarse to be named, be called
llame (usted) (*imp of* llamar) (you) call
llegada *f* arrival
llegado (*pp of* llegar) arrived

(él) ha llegado (*pres perf of* **llegar**)
(he) has arrived

llegando (*pres part of* **llegar**): arriving
estamos llegando we are arriving

llegar to arrive; to reach
llegar a to arrive at
llegar a ser to become, get to be

llegará (*fut of* **llegar**): (él) **llegará** (he)
will arrive

llegaron (*pret of* **llegar**): (ellos) **llegaron**
(they) arrived

llegó (*pret of* **llegar**): (él) **llegó** (he)
arrived

llegué (*pret of* **llegar**): yo **llegué** I
arrived

llenar to fill

lleno full

llevaban (*imperf of* **llevar**): (ellos)
llevaban (they) used to carry

llevar to carry; to take
llevarse to carry away

llevó (*pret of* **llevar**): (él) **llevó** (he)
carried

llorar to cry

llore (usted) (*imp of* **llorar**) (you) cry

lluvia *f* rain

m

machista male-dominated

macho masculine; robust; male

madera *f* wood

madre *f* mother

madrileño native of Madrid

maestro *m* schoolmaster; teacher

magnífico magnificent

maíz corn

majestuoso majestic

mal (*contr of* **malo**) wickedly; badly

malo wicked; bad

maltratar to mistreat

manchado spotted

mandar to command, order; to send

mandará (*fut of* **mandar**): (él) **mandará**
(he) will command

mande (usted) (*imp of* **mandar**) (you)
command

manejar to drive, operate, manage

manera *f* manner

manifestarse to show oneself

manifiestan (*pres of* **manifestar**): (ellos)
manifiestan (they) declare;
manifest

mano *f* hand
en manos de in the hands of
mano a mano together; on equal
terms

mansión *f* mansion

mantener to maintain

manteniendo (*pres part of* **mantener**)
maintaining

mantequilla *f* butter

mantienen (*pres of* **mantener**): (ellos)
mantienen (they) maintain

manto *m* cloak
manto de gala victor's cloak

mañana *f* morning; tomorrow

mar *m* sea
el Mar Mediterráneo Mediterranean
Sea
el Mar Pacífico Pacific Ocean
Mar del Plata seaside resort in
Argentina
nivel del mar sea level

maravilloso marvelous; wonderful

marca *f* trademark
marca comercial brand

marcará (*fut of* **marcar**) (it) will mark

marido *m* husband

marrón *m* brown, maroon

marzo March

más more; most
más de more than
más tarde later
no más no longer

masculino masculine

matar to kill

matemático mathematical

materia *f* material; subject

material material

materialista materialistic

matrimonial matrimonial

matrimonio *m* matrimony, marriage;
married couple
entrar en matrimonio to marry

maya *m* Maya

maya Mayan
mayo May
mayor older; oldest; greater
mayoría *f* majority
me (to) me; myself
mecánica *f* machinery
media *f* average; mean
medicina *f* medicine
médico *m* doctor (*medical*)
médico medical
medida *f* measure
medio *m* environment
medio half; middle
medios *m pl* means, method
  por medio de by means of
medir to measure
meditación *f* meditation
mediterráneo Mediterranean
mejor best; better
mejorar to better; to improve
  mejorarse to better oneself
melancolía *f* melancholia
membrana *f* membrane
memoria *f* memory
  de memoria by heart
mencionar to mention
menor least
  la menor idea the slightest idea
menos less
  al menos at least
  menos de less than
mensualmente monthly
menta *f* mint
mental mental
mentir to lie
mentira *f* lie
mentiroso *m* liar
menú *m* menu
(a) menudo often
mercado *m* market
merecer to deserve
meridiano *m* meridian
mérito *m* merit
mes *m* month
metal *m* metal
meteorológico meteorological
método *m* method

metro *m* subway; meter
mexicano *m* Mexican
mexicano Mexican
México *m* Mexico
mezclar to mix
mezcle (usted) (*imp of* mezclar) (you)
  mix
mi my
mí (to) me
miedo *m* fear
miembro *m* member
miente (*pres of* mentir): (él) miente (he)
  lies
mientras while
mil *m* one thousand
milagro *m* miracle
militante militant
militar to militate
millón *m* million
mina *f* mine
minero *m* miner
minero mining
mínimo minimum; least
  como mínimo at least
Ministerio *m* Ministry
  Ministerio de Gobernación *m*
    Ministry of Internal Affairs
Ministro *m* Minister
minuto *m* minute
mío my; of mine
miraba (*imperf of* mirar): (él) miraba
  (he) used to look (at)
mirar to look (at)
miserable miserable
miseria *f* misery
mismo self; same
  él mismo he himself
misterio *m* mystery
misterioso mysterious
misticismo *m* mysticism
mitad *f* half
mito *m* myth
mitológico mythological
moda *f* style, fashion
modelo *m* model
moderado moderate
moderno modern

modesto   modest
modificar   to modify
modo *m*   manner
　de modo que   so that
momento *m*   moment
monarquía *f*   monarchy
mono *m*   monkey
monotonía *f*   monotony
monstruo *m*   monster
montaña *f*   mountain
montó (*pret of* **montar**): **(él) montó**   (he) mounted; rode
　(él) montó a caballo   (he) rode horseback
monumental   monumental
monumento *m*   monument
moral   moral
moralidad *f*   morality
morder   to bite
mordió (*pret of* **morder**): **(él) mordió** (he) bit
moreno   brown; brunette
morir   to die
mortal *m*   mortal
mostacho *m*   moustache
mostrar   to show; to demonstrate
motivo *m*   reason
móvil   mobile
movilizar   to mobilize
movimiento *m*   movement
muchacha *f*   girl
muchacho *m*   boy, lad
muchísimo   very much
mucho   much
muere (*pres of* **morir**): **(él) muere**   (he) dies
muerte *f*   death
muerto (*pp of* **morir**)   died
　(él) ha muerto (*pres perf of* **morir**)   (he) has died
muestran (*pres of* **mostrar**): **(ellos) muestran**   (they) show; demonstrate
muestre (usted) (*imp of* **mostrar**)   (you) show
mueve (*pres of* **mover**): **(él) mueve**   (he) moves

mujer *f*   woman; wife
multicolor   multicolored
multiplicar   to multiply
multitud *f*   multitude
mundial   universal, global
mundo *m*   world
　Nuevo Mundo   New World
　todo el mundo   everyone
municipal   municipal
muriendo (*pres part of* **morir**)   dying
murió (*pret of* **morir**): **(él) murió**   (he) died
museo *m*   museum
música *f*   music
músico *m*   musician
muy   very

n

nacer   to be born
nacido *m*   person born
nacimiento *m*   birth
nació (*pret of* **nacer**): **(él) nació**   (he) was born
nación *f*   nation
nacional   national
nacionalizó (*pret of* **nacionalizar**): **(él) nacionalizó**   (he) nationalized
Naciones Unidas *f pl*   United Nations
nada   not anything, nothing
　nada menos   no less
nadie   nobody, no one
naranja *f*   orange
natal   native
natural   natural
naturaleza *f*   nature
naturalista *m f*   naturalist
náutico   nautical
naval   naval
navegábamos (*imperf of* **navegar**): **nosotros navegábamos**   we used to navigate
navegante *m*   navigator
navegar   to navigate, sail
necesariamente   necessarily
necesario   necessary
necesidad *f*   necessity; need

necesitaba (*imperf of* necesitar): (él)
    necesitaba (he) used to need
necesitar to need
necesitó (*pret of* necesitar): (él) necesitó
    (he) needed
negativamente negatively
negó (*pret of* negar): (él) negó (he)
    denied
negocio *m* business
negro black
nervioso nervous
ni neither, nor
nieta *f* granddaughter
nieve *f* snow
    copito de nieve little snowflake
ningún (*contr of* ninguno) not any
ninguno not any
niñez *f* childhood
niño *m* child; little boy
nivel *m* level
    nivel del mar sea level
    nivel de vida standard of living
nivelar to level
Niza Nice
no no; not
noble noble
nobleza *f* nobility
nocaut *m* knockout
noche *f* night
nombre *m* name
normal normal
normalmente normally
norte *m* north
norteamericano North American
Noruega *f* Norway
nos (to) us
nota *f* note
notable notable
notablemente notably
noticia *f* information; news
    tener noticia de to know about
novela *f* novel
novelista *m f* novelist
noventa y cinco ninety-five
novia *f* sweetheart; fiancée; bride
noviembre November
novio *m* sweetheart; fiancé;
    bridegroom

nube *f* cloud
nuclear nuclear
nuestro our
Nueva York New York
nuevo new
número *m* number
numeroso numerous
nunca never; not ever
nutrición *f* nutrition
nutritivo nutritious

O

o or
obedecer to obey
objetivo *m* objective
objeto *m* object
obligación *f* obligation; duty
obligado obliged
obra *f* work
obrero *m* worker
observaba (*imperf of* observar): (él)
    observaba (he) used to observe
observación *f* observation
obtendrá (*fut of* obtener): (él) obtendrá
    (he) will obtain, get
obtener to obtain, get
obtenía (*imperf of* obtener): (él) obtenía
    (he) used to obtain
obtenido (*pp of* obtener) obtained
  (él) ha obtenido (*pres perf of* obtener)
    (he) has obtained
obtienen (*pres of* obtener): (ellos)
    obtienen (they) obtain; get
obtuvo (*pret of* obtener): (él) obtuvo
    (he) obtained
ocasión *f* occasion; opportunity
occidente *m* west
octavo eighth
octubre October
ocultar to hide
ocupaba (*imperf of* ocupar): (él) ocupaba
    (he) used to occupy
ocupado (*pp of* ocupar) busy
ocupar to occupy
  ocuparse de to pay attention (to)
ocuparon (*pret of* ocupar): (ellos)
    ocuparon (they) occupied

ocurría (*imperf of* **ocurrir**) (it) used to occur

ocurrió (*pret of* **ocurrir**) (it) occurred

ocurrir to occur, happen

ochenta y cinco eighty-five

ochenta y uno eighty-one

ocho eight

odio *m* hate

oficial *m* official

oficial official

oficio *m* position, job

ofrecer to offer

ofrecía (*imperf of* **ofrecer**): (**él**) **ofrecía** (he) used to offer

ofrecieron (*pret of* **ofrecer**): (**ellos**) **ofrecieron** (they) offered

ofrezca (**usted**) (*imp of* **ofrecer**) (you) offer

ofrezco (*pres of* **ofrecer**): **yo ofrezco** I offer

oí (*pret of* **oír**): **yo oí** I heard

ojo *m* eye

    ojo por ojo y diente por diente an eye for an eye and a tooth for a tooth

óleo *m* oil

    darle los santos óleos to administer (to him) Extreme Unction (last rites)

olímpico Olympic

olivar *m* olive grove

olivo *m* olive tree

olvidar to forget

once eleven

operación *f* operation

opinión *f* opinion

oponente *m* opponent

oponer to oppose

oportunidad *f* opportunity

oportuno opportune, timely

oposición *f* opposition

opositor *m* opponent

opresión *f* oppression

opresor oppressive

optimismo *m* optimism

optimista *m f* optimist

opulencia *f* opulence

opulento opulent, wealthy

opuso (*pret of* **oponer**): (**él**) **opuso** (he) opposed

oración *f* sentence

oralmente orally

orden *m* order

ordinario ordinary

Orense Orense (*province in the region of Galicia in Spain*)

organización *f* organization

organizar to organize

organizó (*pret of* **organizar**): (**él**) **organizó** (he) organized

órgano *m* organ (*of the body*); pipe organ

oriental oriental, eastern

origen *m* origin

original original

orilla *f* (*river*) bank

ornamentar to adorn, decorate

oro *m* gold

oscuridad *f* darkness

oscuro dark

ostentación *f* ostentation, display

otro other; another

    otra vez again

oveja *f* sheep

oyen (*pres of* **oír**): (**ellos**) **oyen** (they) hear

p

pacífico peaceful

padre *m* father; priest

padres *m pl* parents

paga *f* pay; salary

pagado (*pp of* **pagar**) paid

pagar to pay

pago *m* payment

país *m* country, nation; region

paisaje *m* landscape

pájaro *m* bird

pala *f* stick

palabra *f* word

pantalón *m* trousers

papá *m* papa, father

par *m* pair

para for, to, in order to

    para que so that

parar to stop; to stand

    sin parar without stopping

parecer to seem, appear
parecía (*imperf of* **parecer**): **(él) parecía**
   (he) seemed
pared *f* wall
paredón *m* firing squad
pareja *f* couple
pariente *m f* relative
París Paris
parque *m* park
párrafo *m* paragraph
parte *f* place; part
  en parte partly
  por todas partes everywhere
participar to participate
participó (*pret of* **participar**): **(él)**
   participó (he) participated
particular special
particularmente specially
partir to divide, split
pasaban (*imperf of* **pasar**): **(ellos)**
   pasaban (they) used to pass
pasado *m* past
pasajero *m* passenger
pasar to pass; to go in; to spend (*time*)
pasarán (*fut of* **pasar**): **(ellos) pasarán**
   (they) will pass
pasaron (*pret of* **pasar**): **(ellos) pasaron**
   (they) passed
pasatiempo *m* pastime, amusement
pasearse to take a walk
pasión *f* passion
pasivo passive
paso *m* step
  paso a paso step by step
pasó (*pret of* **pasar**) (it) passed;
   happened
pata *f* foot (*of an animal*)
pausa *f* pause
pavimentar to pave
payaso *m* clown
paz *m* peace
peces (*sing* **pez**) *m pl* fish (*in the water*)
pedir to ask for; to demand
pelar to peel
peldaño *m* step (*of a ladder or stairs*)
pele (**usted**) (*imp of* **pelar**) (you) peel
peleaba (*imperf of* **pelear**): **(él) peleaba**
   (he) used to fight

película *f* film
peligro *m* danger
peligroso dangerous
pelo *m* hair
peluquería *f* hairdressing shop
pena *f* grief; (*mental*) pain
penar to suffer
penetrar to penetrate
pensaba (*imperf of* **pensar**): **(él) pensaba**
   (he) used to think
pensábamos (*imperf of* **pensar**):
   nosotros pensábamos we used to
  think
pensaban (*imperf of* **pensar**): **(ellos)**
   pensaban (they) used to think
pensado (*pp of* **pensar**) thought
  (él) ha pensado (*pres perf of* **pensar**)
   (he) has thought
pensar (en) to think (of)
penumbra *f* partial shadow
pequeño small, little
perdedor *m* loser
perder to lose
pérdida *f* loss
perdido (*pp of* **perder**) lost
  (él) ha perdido (*pres perf of* **perder**)
   (he) has lost
perfeccionamiento *m* perfecting
perfecto perfect
perfil *m* profile
periódico *m* newspaper
periodista *m f* journalist
período *m* period, era
perla *f* pearl
permitió (*pret of* **permitir**): **(él) permitió**
   (he) permitted, allowed
permitir to permit, allow
pero but
perro *m* dog
  perrito little dog
persona *f* person
personaje *m* character
personalidad *f* personality
perspectiva *f* prospect
pertenecer to belong; to appertain
pertubador disturbing
Perú *m* Peru
peruano Peruvian

pesaba (*imperf of* pesar)   (it) used to weigh

(a) pesar de   in spite of

pesca *f*   fishing

pescábamos (*imperf of* pescar): nosotros pescábamos   we used to fish

pescado *m*   fish (*caught*)

pescador *m*   fisherman

pescar   to fish

pescaron (*pret of* pescar): (ellos) pescaron   (they) fished

peseta *f*   peseta (*monetary unit*)

pesimista   pessimistic

peso *m*   weight; peso (*monetary unit*)

petróleo *m*   petroleum

pianista *m f*   pianist

picado   chopped

pícaro *m*   rogue, rascal

pícaro   roguish

pida (usted) (*imp of* pedir)   (you) ask for

pide (tú) (*imp of* pedir)   (you) ask for

pido (*pres of* pedir): yo pido   I ask for

pie *m*   foot

piedra *f*   stone

piel *f*   skin

piensa (*pres of* pensar): (él) piensa   (he) thinks

piensa (tú) (*imp of* pensar)   (you) think

pierde (*pres of* perder): (él) pierde   (he) loses

pierna *f*   leg

pimienta *f*   pepper

pináculo *m*   pinnacle

pintor *m*   painter

pintoresco   picturesque

pirámide *f*   pyramid

Piscis   Pisces

pista *f*   clue

placa *f*   plaque

placer *m*   pleasure

plan *m*   plan

planta *f*   plant

plantar   to plant

plata *f*   silver

playa *f*   beach

plaza *f*   square

  plaza de toros   bullfight ring

pluma *f*   feather

población *f*   population

poblaron (*pret of* poblar): (ellos) poblaron   (they) colonized, populated

pobre   poor

pobreza *f*   poverty

poco   little

poder *m*   power

poder   to be able, can

poderoso   powerful

podía (*imperf of* poder): (él) podía   (he) was able

podido (*pp of* poder)   been able

  (él) ha podido (*pres perf of* poder)   (he) has been able

podrá (*fut of* poder): (él) podrá   (he) will be able

podría (*cond of* poder): (él) podría   (he) would be able

poema *m*   poem

poesía *f*   poetry

poeta *m*   poet

poético   poetic

póker *m*   poker

policía *f*   police

policía *m*   policeman

política *f*   politics

político *m*   politician

político   political

polvo *m*   dust

pondrá (*fut of* poner): (él) pondrá   (he) will put

(se) pondrán (*fut of* ponerse): (ellos) se pondrán   (they) will become

poner   to put, place

  ponerse   to become

ponga (usted) (*imp of* poner)   (you) put

pongan (ustedes) (*imp of* poner)   (you) put

poniendo (*pres part of* poner)   putting, placing

popular   popular

popularidad *f*   popularity

popularizar   to popularize

popularizó (*pret of* popularizar): (él) popularizó   (he) popularized

poquito   very little

por   for; by; through; via

por (el) contrario on the contrary
por encima de over
por eso for that reason
por favor please
por fin finally
por igual equally
por + *inf* by
¿por qué? why?
por supuesto of course
por toda la vida for life
por todas partes everywhere
porcentaje *m* percentage
por ciento percent
porque because
Portugal *m* Portugal
poseer to possess
posibilidad *f* possibility
posible possible
posiblemente possibly
posición *f* position; standing
potencial potential
practicar to practice
práctico practical
precedente *m* precedent
precedente preceding
precedieron (*pret of* **preceder**): (ellos)
  precedieron (they) preceeded
precio *m* price
precipicio *m* precipice
precipitaron (*pret of* **precipitar**): (ellos)
  precipitaron (they) hastened
precipitarse to rush, hasten
precisamente precisely
precolombino pre-Colombian
predominante predominant
predominar to prevail
preferencia *f* preference
preferentemente preferably
prefería (*imperf of* **preferir**): (él)
  prefería (he) used to prefer
preferible preferable
preferir to prefer
prefiere (*pres of* **preferir**): (él) **prefiere**
  (he) prefers
pregunta *f* question
preguntar to ask
preguntó (*pret of* **preguntar**): (él)
  preguntó (he) asked

prehistórico prehistoric
pre-incaico pre-Incan
premio *m* prize
prensa *f* press
preocupación *f* preoccupation
preocupado (*pp of* **preocupar**) worried
  (ellos) se han preocupado (*pres perf of*
    preocuparse) (they) have worried
preocuparse to worry
preparación *f* preparation
preparar to prepare
prepare (usted) (*imp of* **preparar**) (you)
  prepare
preparativo *m* preparation
preposición *f* preposition
presencia *f* presence
presentar to present
  presentarse to appear; to offer one's
  services
presentaron (*pret of* **presentar**): (ellos)
  presentaron (they) presented
presente present
presentir to have a hunch
presentó (*pret of* **presentar**): (él) **presentó**
  (he) presented
presidente *m* president
prestar to lean
  prestar atención to pay attention
prestigio *m* prestige
pretensión *f* pretension; presumption
pretérito *m* preterit
previamente previously
primario primary
primavera *f* spring
primer (*contr of* **primero**) first; former
primero first; former
primitivo primitive
primo *m* cousin
  primo hermano first cousin
princesa *f* princess
principal principal, main
  sala principal main room; living
  room
principalmente principally
principio beginning; principle
prisionero *m* prisoner
privado private
privilegiado privileged

pro for
probable probable
probablemente probably
probar to prove
problema *m* problem
proceso *m* process
procurar to procure; to try
producción *f* production
producir to produce
producto *m* product
productor *m* producer
produjo (*pret of* **producir**): (él) **produjo**
(he) produced
  se le produjo it occurred to him
profesión *f* profession
profesional professional
profesionalmente professionally
profundo profound; deep
programa *m* plan; program
progresar to progress; to improve
progresivo progressive
progreso *m* progress
prohibir to prohibit
proletario *m* proletarian
promoción *f* promotion
promover to promote
pronto quick; prompt
  de pronto suddenly
(se) pronunció (*pret of* **pronunciarse**): (él)
  se pronunció (he) rebelled
propaganda *f* propaganda
propio own; proper, suitable
proponer to propose
propósito *m* intention
prosigue (*pres of* **proseguir**): (él) **prosigue**
(he) pursues
protección *f* protection
proteger to protect
proteína *f* protein
proveedor *m* provider
provincia *f* province
provincial provincial
provinciano provincial
provisión *f* provision
próximo next
proyectar to project
proyecto *m* project
proyector *m* projector; search light

prueba *f* test
psicólogo *m* psychologist
publicación *f* publication
publicar to publish
publicará (*fut of* **publicar**): (él) **publicará**
(he) will publish
publicidad *f* publicity
publicó (*pret of* **publicar**): (él) **publicó**
(he) published
público *m* public
público public
publique (usted) (*imp of* **publicar**) (you)
publish
pudiera (*imperf subj of* **poder**): (él)
  pudiera (he) might be able
pudo (*pret of* **poder**): (él) **pudo** (he) was
able
pueblecito *m* little town
pueblo *m* people; town
puedan (*pres subj of* **poder**): (ellos)
  puedan (they) can
puede (*pres of* **poder**): (él) **puede** (he) is
able
puente *m* bridge
puerta *f* door
puerto *m* port
pues since; because
puesto *m* place; position
pulgada *f* inch
pulmón *m* lung
punto *m* place; point; period (*in writing*)
  punto de vista point of view
puré *m* purée
pureza *f* purity
puro pure
pusieron (*pret of* **poner**): (ellos) **pusieron**
(they) put

q

que which, that, who, whom; than; as
¿qué? what? how?
quedaba (*imperf of* **quedar**): (él) **quedaba**
(he) used to remain
quedado (*pp of* **quedar**) remained
  (él) **ha quedado** (*pres perf of* **quedar**)
(he) has remained
quedar(se) to stay, remain

quedé (*pret of* **quedar**): **yo quedé**
  I remained

quejarse to complain

quemará (*fut of* **quemar**) (it) will burn

querella *f* quarrel

querer to want; to love
  querer decir to mean

quería (*imperf of* **querer**): **(él) quería**
  (he) used to want

querido beloved, dear

querido (*pp of* **querer**) wanted
  (él) hubiera querido (*pluperf subj of*
  querer) (he) had wanted

queso *m* cheese

quien who, whom

¿quién? who?

quiere (*pres of* **querer**): **(él) quiere** (he)
  wants

quiero (*pres of* **querer**): **yo quiero** I
  want; I love

quince fifteen

quinto fifth

quisiera (*imperf subj of* **querer**): **yo**
  quisiera I would like

quizá perhaps

r

radio *f* radio

rallado (*pp of* **rallar**) grated

rama *f* branch

rápidamente rapidly

rapidez *f* speed

rápido rapid, swift

raro rare

rato *m* while, short time

raza *f* race, lineage

razón *f* reason

reacción *f* reaction

reaccionar to react

real real; royal

realidad *f* reality
  en realidad in fact, really

realismo *m* realism

realizar to realize (*a goal*), fulfill

rebelde *m* rebel

rebeldía *f* rebelliousness

receta *f* recipe

recibí (*pret of* **recibir**): **yo recibí** I
  received

recibido (*pp of* **recibir**) received
  (él) ha recibido (*pres perf of* **recibir**)
  (he) has received

recibir to receive; to admit, let in

recibirá (*fut of* **recibir**): **(él) recibirá** (he)
  will receive

recibirán (*fut of* **recibir**): **(ellos) recibirán**
  (they) will receive

reciente recent

recientemente recently

recipiente *m* container

recoger to gather

reconocer to recognize

reconstruir to reconstruct

recorrer to travel through

recuerdo *m* remembrance

recurso *m* resource

redondear to make round

reducir to reduce

reencarnación *f* reincarnation

reflejar to reflect

reflexión *f* reflection

reforma *f* reform

refresco *m* refreshment

refrigeración *f* refrigeration

refrigerador *m* refrigerator

refugiarse to take refuge

regalo *m* gift

región *f* region

regla *f* rule

regresar to return

regresarás (*fut of* **regresar**): **tú regresarás**
  you will return

regresaría (*cond of* **regresar**): **(él)**
  regresaría (he) would return

regular regular

regular to regulate

regularidad regularity

rehusar to refuse

(se) reía (*imperf of* **reírse**): **(él) se reía**
  (he) used to laugh

reina *f* queen

reír(se) to laugh

relación *f* relation

relacionado (*pp of* **relacionar**) related

relacionar to relate; to connect

relataba (*imperf of* relatar): (él) relataba (he) used to relate, narrate

religión *f* religion

religioso religious

remolque *m* trailer

remoto remote

repita (usted) (*imp of* repetir) (you) repeat

repite (*pres of* repetir): (él) repite (he) repeats

reportero *m* reporter

representación *f* representation

representar to represent

reprimido (*pp of* reprimir) repressed

reproducir to reproduce

reprodujeron (*pret of* reproducir): (ellos) reprodujeron (they) reproduced

república *f* republic

República Dominicana *f* Dominican Republic

República Mexicana *f* Mexican Republic

republicano *m* republican

residente *m f* resident

resignación *f* resignation

resignado resigned

resistencia *f* resistance

resistir to resist

resolver to resolve

resolvieron (*pret of* resolver): (ellos) resolvieron (they) resolved

respectar to concern

respectivo respective

respecto *m* respect; relation

respecto a with regard to

respetable respectable

respiración *f* respiration

responder to answer

responsabilidad *f* responsibility

responsable responsible

respuesta *f* answer

restaurar to restore

resto *m* rest, remainder

resultado *m* result

resultar to result

resumir to summarize

resurrección *f* resurrection

retirarse to withdraw

retrato *m* portrait

reunión *f* meeting; consolidation

reunir(se) to join; to unite; to meet

revancha *f* revenge

revelar to reveal

revista *f* magazine

revolución *f* revolution

rey *m* king

rico rich, wealthy; delicious

(se) ríe (*pres of* reírse): (él) se ríe (he) laughs

río *m* river

riqueza *f* wealth

riquísimo very wealthy

risa *f* laughter

ritmo *m* rhythm

ritual *m* ritual

rizar to curl

robó (*pret of* robar): (él) robó (he) stole

robusto robust

roca *f* rock

rodear to surround, encircle

rojo red

Roma Rome

romántico romantic

romper to break

ropa *f* clothes, clothing

rosa *f* rose

rotundo round

rudo rude

ruedo *m* ring

ruego (*pres of* rogar): yo ruego I beg

ruido *m* noise

ruina *f* ruin

ruleta *f* roulette

rural rural

s

sábado *m* Saturday

sábalo *m* tarpon

saber to know; to be able, have ability

sabía (*imperf of* saber): (él) sabía (he) knew

sabor *m* flavor

sacar to take out; to obtain

sacerdote *m* priest

sacó (*pret of* sacar): (él) sacó   (he) took out
sacrificio *m*   sacrifice
Sagitario   Sagittarius
sal *f*   salt
sala *f*   room
   sala de clase   schoolroom
   sala principal   main room; living
    room
salario *m*   salary
saldrá (*fut of* salir): (él) saldrá   (he) will
   leave
salí (*pret of* salir): yo salí   I left
salida *f*   departure
salió (*pret of* salir): (él) salió   (he) left
salir   to leave
salón *m*   hall
   Salón de la Fama   Hall of Fame
salto *m*   leap
saltó (*pret of* saltar): (él) saltó   (he)
   leaped
salvaje   wild
salvar   to save
sangre *f*   blood
sanguinario   bloody
santo   holy
satírico   satirical
satisfacción *f*   satisfaction
satisfactoriamente   satisfactorily
satisfecho (*pp of* satisfacer)   satisfied
sazone (usted) (*imp of* sazonar)   (you)
   season
se   himself, herself, yourself,
   yourselves, themselves
sé (*pres of* saber): yo sé   I know
sea (*pres subj of* ser)   (that he) be
seco   harsh; dry
secretario *m*   secretary
secreto   secret
seda *f*   silk
segador *m*   harvester, reaper
seguía (*imperf of* seguir): (él) seguía   (he)
   used to follow
seguidamente   successively
seguir   to follow; to continue
según   according to
segundo   second
seguramente   surely
seguridad *f*   security

seis   six
seiscientos   six hundred
seleccionar   to choose
selva *f*   forest
semana *f*   week
semanal   weekly
sencillo   simple
sensación *f*   sensation
sensibilidad *f*   sensitivity
sensual   sensual
sentado (*pp of* sentar)   seated
sentarse   to sit down
(me) sentí (*pret of* sentirse): yo me sentí
   I felt
sentido *m*   sense
sentimental   sentimental
sentimiento *m*   sentiment; feeling
sentir(se)   to feel; to be affected, moved;
   to regret
señal *f*   signal
señor *m*   sir; master
   el señor   Mr. (*indirect address*)
señora *f*   lady
   la señora   Mrs. (*indirect address*)
señorita *f*   young lady
   la señorita   Miss (*indirect address*)
separadamente   separately
separar   to separate
septiembre   September
ser   to be
será (*fut of* ser): (él) será   (he) will be
sería (*cond of* ser): (él) sería   (he) would
   be
serie *f*   series
serio   serious
   en serio   seriously
serpiente *f*   serpent, snake
servicio *m*   service
servir (de)   to serve (as)
sesenta   sixty
sesenta y cinco   sixty-five
setenta   seventy
sexualidad *f*   sexuality
si   if
sí   yes
sido (*pp of* ser)   been
   (él) ha sido (*pres perf of* ser)   (he)
    has been

siega (*pres of* segar): (él) siega   (he) reaps

siempre   always

siendo (*pres part of* ser)   being

siente (*pres of* sentir): (él) siente   (he) feels

  lo siente mucho   (he) is very sorry

siete   seven

siglo *m*   century

significación *f*   meaning

significado *m*   significance

significar   to signify, mean

signo *m*   symbol

sigo (*pres of* seguir): yo sigo   I follow

siguiendo (*pres part of* seguir)   following

siguiente   following

siguieron (*pret of* seguir): (ellos) siguieron   (they) followed

silencio *m*   silence

silencioso   silent

sillón *m*   easy chair

simbolizar   to symbolize

símbolo *m*   symbol

simpatía *f*   sympathy; congeniality

simpático   pleasant, congenial

simpatizar   to be congenial

simple   simple

simplemente   simply

sin   without

  sin embargo   nevertheless

sinceridad *f*   sincerity

sincero   sincere

sindicato *m*   labor union

singular   singular, odd

sino   but; otherwise; if not

sinónimo *m*   synonym

sirva (usted) (*imp of* servir)   (you) serve

sirve (*pres of* servir): (él) sirve   (he) serves

sistema *m*   system

sitio *m*   place

situación *f*   state, condition; situation

situado (*pp of* situar)   situated, located

situar   to situate, locate

sobre   above; on; approximately, about

sobrellevar   to endure, bear

social   social

socialista *m*   socialist

sociedad *f*   society; company, firm

sofocante   suffocating

sol *m*   sun, sunlight

  de sol a sol   from sunrise to sunset

solamente   only

soldado *m*   soldier

soledad *f*   loneliness; solitude

solitario   lonely

solo   alone; only; single

  ni un solo   not even one

sólo   solely, only

soltero *m*   bachelor, unmarried man

solución *f*   solution

sombra *f*   shadow

sombrío   sombre

somos (*pres of* ser): nosotros somos   we are

son (*pres of* ser): (ellos) son   (they) are

sonreír   to smile

sonríe (*pres of* sonreír): (él) sonríe   (he) smiles

sonriente   smiling

sonrió (*pret of* sonreír): (él) sonrió   (he) smiled

sonrisa *f*   smile

soñaba (con) (*imperf of* soñar): (él) soñaba (con)   (he) used to dream (of)

soñador *m*   dreamer

soñar (con)   to dream (of)

soñé (*pret of* soñar): yo soñé   I dreamed

soportar   to endure; to support

soprano *m f*   soprano

sorprendente   surprising

(se) sorprendió (*pret of* sorprenderse): (él) se sorprendió   (he) was surprised

sorpresa *f*   surprise

sostener   to support; to hold

sótano *m*   cellar, basement

soy (*pres of* ser): yo soy   I am

soya *f*   soy bean

su   his, her, its, theirs, yours

subir   to rise, go up

substituto *m*   substitute

subsuelo *m*   subsoil

subterráneo   underground

sucedió (*pret of* suceder)   (it) occurred

suceso *m* event

sucio dirty

sudamericano South American

Suecia *f* Sweden

sueldo *m* salary

suelen (*pres of* soler): (ellos) suelen (they) are in the habit of

suelo *m* ground; floor

suena (*pres of* sonar) (it) sounds

sueña (tú) (*imp of* soñar) (you) dream

sueño *m* dream; sleepiness

suerte *f* luck

suficiente sufficient

suficientemente sufficiently

sufra (usted) (*imp of* sufrir) (you) suffer

sufrí (*pret of* sufrir): yo sufrí I suffered

sufrió (*pret of* sufrir): (él) sufrió (he) suffered

sufrirán (*fut of* sufrir): (ellos) sufrirán (they) will suffer

sugestivo suggestive

Suiza *f* Switzerland

sujeto *m* subject, topic

sujeto subject; liable

sumario *m* summary

sumergido (*pp of* sumergir) submerged

sumisión *f* submission

suntuoso sumptuous

supe (*pret of* saber): yo supe I knew

superar to surpass

superficie *f* surface

superior superior

superioridad *f* superiority

supermercado *m* supermarket

supremacía *f* supremacy

sur *m* south

suri *f* type of alpaca found in Peru

surrealista surrealist

suspender to stop; to suspend

sustantivo *m* noun

t

tableta *f* tablet

tacaño stingy

tal such, such a

tamaño *m* size

también also, too

tampoco neither, not either

tan (*contr of* tanto) so

tanto so much

  tanto... como as much (many) . . . as

tardarse to delay

tarde *f* afternoon

tarde late

  más tarde later

tarea *f* job, task

Tauro Taurus

taza *f* cup

te to you (*familiar*)

teatral theatrical

teatro *m* theater

técnica *f* technique

técnico *m* technician

técnico technical

tecnológico technological

tejido *m* weaving; woven cloth

tela *f* cloth; fabric

teléfono *m* telephone

televisión *f* television

tema *m* subject

temblaban (*imperf of* temblar): (ellos) temblaban (they) were shivering

temblar to shiver, tremble

temer to fear

templo *m* temple

temprano early; premature

tendencia *f* tendency

tendrá (*fut of* tener): (él) tendrá (he) will have

tener to have; to hold

  tener calma to be quiet, calm

  tener cinco años to be five years old

  tener éxito to be successful

  tener lugar to take place

  tener noticia to know of

  tener prisa to be in a hurry

  tener que + *inf* to have to

  tener razón to be right

  tener suerte to be lucky

tengo (*pres of* tener): yo tengo I have

tenía (*imperf of* tener): (él) tenía (he) used to have

tenido (*pp of* **tener**)   had
  (**él**) **ha tenido** (*pres perf of* **tener**)   (he)
    has had
tensión *f*   tension
tentación *f*   temptation
tercero   third
terciopelo *m*   velvet
terminado (*pp of* **terminar**)   ended
  (**él**) **ha terminado** (*pres perf of* **terminar**)
    (he) has ended
terminar   to end, finish
terminarán (*fut of* **terminar**): (**ellos**)
    terminarán   (they) will end
terminé (*pret of* **terminar**): **yo terminé**   I
    ended
terremoto *m*   earthquake
terreno *m*   ground, land
terrestre   terrestrial
territorio *m*   territory
tertulia *f*   social gathering; party
tesoro *m*   treasure
testimonio *m*   testimony, evidence
texto *m*   text
tez *f*   complexion
tiemblan (*pres of* **temblar**): (**ellos**)
    tiemblan   (they) tremble
tiempo *m*   time
  a tiempo   on time
tienda *f*   shop
tiene (*pres of* **tener**): (**él**) **tiene**   (he) has
tierra *f*   land, ground
tímido   timid
tipo *m*   type
tirar   to pull
titular   to entitle, name
título *m*   title
tocadiscos *m*   record player
tocar   to play (*an instrument*)
todavía   still, yet
todo   all, whole, every
  por todas partes   everywhere
  todo el día   all day long
  todo el mundo   everyone
  todos ellos   all of them
  todos los años   every year
  todos los meses   every month
tomado (*pp of* **tomar**)   taken

(**ellos**) **han tomado** (*pres perf of* **tomar**)
    (they) have taken
tomar   to take
tomate *m*   tomato
tomó (*pret of* **tomar**): (**él**) **tomó**   (he)
    took
tono *m*   tone
tópico *m*   topic, subject
torpedo *m*   torpedo
total   total
totalidad *f*   totality
totem *m*   totem
trabajaba (*imperf of* **trabajar**): (**él**)
    trabajaba   (he) used to work
trabajábamos (*imperf of* **trabajar**):
    nosotros trabajábamos   we used to
    work
trabajador *m*   worker, laborer
trabajador   painstaking, laboring;
    working
trabajar   to work
trabajará (*fut of* **trabajar**): (**él**) **trabajará**
    (he) will work
trabajé (*pret of* **trabajar**): **yo trabajé**   I
    worked
trabajen (*pres subj of* **trabajar**)   (that
    they) work
trabajo *m*   work, job; hardship
  compañero de trabajo   co-worker
tradición *f*   tradition
tradicional   traditional
traducción *f*   translation
traer   to bring; to have (a child)
tragedia *f*   tragedy
trágico   tragic
traído (*pp of* **traer**)   brought
  (**él**) **ha traído** (*pres perf of* **traer**)   (he)
    has brought
traidor *m*   traitor
traje *m*   suit
tranquilidad *f*   tranquility
tranquilo   peaceful, calm, tranquil
transformación *f*   transformation
transición *f*   transition
transmitir   to transmit
transportar   to transport
transporte *m*   transport

transposición *f*   transposition
tratar   to try
  tratarse de   to be a question of
tratarán (*fut of* **tratar**): (**ellos**) **tratarán**
  (they) will try
trate (**usted**) (*imp of* **tratar**)   (you) try
trato *m*   treatment; behavior
(a) través de   through, across
trece   thirteen
treinta   thirty
  treinta y cinco   thirty-five
  treinta y nueve   thirty-nine
tren *m*   train
tres   three
tribu *f*   tribe
  la tribu machica   Machica tribe
  la tribu nazca   Nazca tribe
trigo *m*   wheat
triple   triple
triste   sad; sorrowful
tristemente   sadly
tristeza *f*   sadness; sorrow
triunfal   triumphal
triunfar   to triumph; to conquer
triunfo *m*   triumph
trofeo *m*   trophy
tronco *m*   tree trunk
tropical   tropical
tu   your
tú   you
tumba *f*   grave, tomb
tumultuoso   tumultuous
turismo *m*   tourism
turista *m f*   tourist
turístico   tourist
Turquía *f*   Turkey
tuve (*pret of* **tener**): **yo tuve**   I had
Tuxpan   Tuxpan (*city in Veracruz,
  Mexico*)

u

últimamente   recently; finally
último   last, final, ultimate
ultramar *m*   overseas
un   a, an
único   only; sole
unión *f*   union

unir   to unite
universal   universal
universidad *f*   university
uno   one
unos   some
urgente   urgent
usaba (*imperf of* **usar**): (**él**) **usaba**   (he)
  used to use
usando (*pres part of* **usar**)   using
use (**usted**) (*imp of* **usar**)   (you) use
uso *m*   use; wear
usted   you
  usted mismo   (you) yourself
útil   useful
utilizar   to utilize
utilizaron (*pret of* **utilizar**): (**ellos**)
  utilizaron   (they) utilized

v

va (*pres of* **ir**): (**él**) **va**   (he) goes
vaca *f*   cow
vacaciones *f pl*   vacation
vacío   empty; vacant
vagón *m*   railway car
vainilla *f*   vanilla
valer   to be worth, worthy
valiente   courageous, brave
valor *m*   value; valor
valle *m*   valley
vanidoso   vain, conceited
variado   varied
variante *f*   variant
variedad *f*   variety
varios   various, several
vaso *m*   vase; glass
vea (**usted**) (*imp of* **ver**)   (you) see
vecino *m*   resident; neighbor
veinte   twenty
  veinticinco   twenty-five
  veintiún   twenty-one
  a los veintiún años   at the age of
    twenty-one
vela *f*   candle
velocidad *f*   velocity
veloz   quick, swift
vencedor *m*   winner
vencer   to defeat

vendedor *m* seller

vender to sell

vendí (*pret of* **vender**): **yo vendí** I sold

vendías (*imperf of* **vender**): **tú vendías** you used to sell

venezolano Venezuelan

Venezuela *f* Venezuela

venganza *f* vengeance, revenge

venían (*imperf of* **venir**): (**ellos**) **venían** (they) used to come

venido (*pp of* **venir**) come

(**él**) **ha venido** (*pres perf of* **venir**) (he) has come

venir to come

venta *f* sale

ventaja *f* advantage

veo (*pres of* **ver**): **yo veo** I see

ver to see

verá (*fut of* **ver**): (**él**) **verá** (he) will see

verano *m* summer

verbo *m* verb

verdad *f* truth

verdadero true

verde green

versión *f* version

verso *m* line (*of a poem*)

vestido *m* dress

vestidos *m pl* clothing

vestir to dress

vestuario *m* costume

veta *f* vein, seam (*of mineral*)

veterinario veterinary

vez *f* time

a veces sometimes

de vez en cuando from time to time

en vez de instead of

por primera vez for the first time

tal vez perhaps

una vez allí once there

vi (*pret of* **ver**): **yo vi** I saw

vía *f* route

viajar to travel

viaje *m* voyage, journey, trip

viajero *m* traveler

víctima *f* victim

victorioso victorious

vicuña *f* vicuña (*Andean animal related to the llama*)

vida *f* life

nivel de vida standard of living

por toda la vida for life

viejita *f* little old lady

viejo old

viendo (*pres part of* **ver**) seeing

viene (*pres of* **venir**): (**él**) **viene** (he) comes

viento *m* wind

vientre *m* belly

viernes *m* Friday

vigilado (*pp of* **vigilar**) watched over

vigilar to watch over

vigor *m* vigor

vino *m* wine

vio (*pret of* **ver**): (**él**) **vio** (he) saw

violentar to make angry

violento violent; impetuous

Virgo Virgo

virilidad *f* virility

visión *f* vision

visita *f* visit

visitante *m f* visitor

visitaron (*pret of* **visitar**): (**ellos**) **visitaron** (they) visited

vista *f* view; sight

punto de vista point of view

visto (*pp of* **ver**) seen

(**él**) **ha visto** (*pres perf of* **ver**) (he) has seen

visual visual

vitalidad *f* vitality

vitamina *f* vitamin

vivía (*imperf of* **vivir**): (**él**) **vivía** (he) used to live

viviendo (*pres part of* **vivir**) living

« **viviendo de milagros** » living from hand to mouth

vivieron (*pret of* **vivir**): (**ellos**) **vivieron** (they) lived

vivir to live

vivir y dejar vivir to live and let live

vivo alive; living

vivo bright

vocabulario *m* vocabulary

voz *f* voice
vuelan (*pres of* **volar**): **(ellos) vuelan**
    (they) fly
vuelo *m* flight
vuelta *f* turn
    dar una vuelta to take a walk
vuelto (*pp of* **volver**) returned
    (él) ha vuelto (*pres perf of* **volver**) (he)
    has returned
vuelven (*pres of* **volver**): **(ellos) vuelven**
    (they) return

w

wagneriana Wagnerian

y

y and
ya already; finally; now
    ya que since
yanqui *m* Yankee
yo I

z

zanahoria *f* carrot
zapato *m* shoe
zodíaco *m* zodiac
zona *f* zone
zoo *m* zoo